너를 기다려 2

I'll be here for you.

이현숙

동규야?

어쩐지
직장이 어딘지
안 알려주더라니.

여긴
어쩐 일이야?
X발,
너 일자리가
그렇게
없냐?

잘못한 새X가
용서를 빌어야
내가 용서를
해주든지
말든지 하지.

동규야,
이제 그만
기유정 용서하면
안 되겠냐?
날
봐서라도….

너 저 새X한테
미련 못 버려서
굳이 여기서
일하는 거야,
뭐야?
나도
몰랐어.
우연이야.

우연??
뭐
운명이라도
되냐?

그만
비꼬고.
어떡할래?
나 퇴근 때까지
기다렸다가
같이 갈래?

…….
뚱

끄덕

MELON
너 그거 사실은 미련일 수도 있어.
너 걔랑 키스는커녕 손도 못 잡아봤지?
막상 신체 접촉하면 짜게 식을지도 몰라.

그건 아닐 거야.
어떻게 알아?

기유정 자는 모습 본 걸로도
거기가 섰거든.
FLOWER
꽃

퍽
씨X, 더러워!
저리 꺼져, X까.

그러게요.
저는 게이일까요, 아니면 사장님을 좋아하는 걸까요?

사실 시도를 안 해 본 건 아니다.

혼자 왔어요?
네.

포지션은? 탑? 바텁?
딱 봐도 탑인데.

탑이면 좋겠다.
이 바닥이 탑이 부족하거든.

탑이면 은아가 말한 '공'?

잘 모르겠는데요.

그럼 나하고 자보면 알겠네.
나갈까요?
예???

사실 그걸로는
내가 기유정 한정 게이인지,

단순히 원나잇에
거부반응을 하는 건지는
알 수 없지만.

뭐야?
너 여기서 일하냐?

…….

누가 말대꾸하래?
짝

대리운전하던 주제에 많이 발전했다?
자리 안내해 드리겠습니다.

휙
됐고.
여기 발렛되지?
내 차 주차나
하고 와.

후….
어쩐지 오늘 하루
일진이 안 좋을 것 같은
불길한 예감이 드는데….

야!
내 차 주차한 놈 나와!

무슨 일이시죠?
차에 문제라도 있나요?

저놈이 주차하면서 내 차를 긁었단 말이야.

차 긁은 적 없습니다.
블랙박스 확인해보시면—

보험사에
사고 접수
하시고
수리비 나오면
이쪽으로
연락주세요.

…….

저 차
안 긁었습니다.
알아요.

그럼 왜….

이게
제일 깔끔한
방법이니까.
시시비비
가려서 이쪽 말이
맞다고 해도
시끄럽게
굴어봤자
가게 이미지만
나빠져요.

사장님께 손해 끼치기 싫어요.

수리비 청구서 오면 저한테 얘기해주세요.

그렇게 정직하게 살아서 언제 돈 모을래요.

야!

주춤

퍽

콰당

진짜, 진상짓 좀 작작해요.
그리고, 손님으로도 오지 말아요.
당신 같은 손님 필요 없으니까.

너 이거 인터넷에 올릴 거야.

맘대로
해요.
내가 가게
그만두면
되니까.

순둥이 백선우
많이 변했네.

형.
실연주 사준다고 했잖아.

끝나고 한잔 하자.
내일 휴무 맞지?

너를 기다려

I'll be here for you.

너를 기다려

I'll be here for you.

내 핑계대고
새로운 가게에
가고 싶은 거
아니고?
앗!
눈치했구나?

근데,
왜 오늘도
남자만 있냐?

타이밍 한번
맞추기 힘드네.
쩝.
그러게.
하하

오늘은
지인도 왔으니
일찍 퇴근해요.

그래도
될까요?
감사합니다.

슥

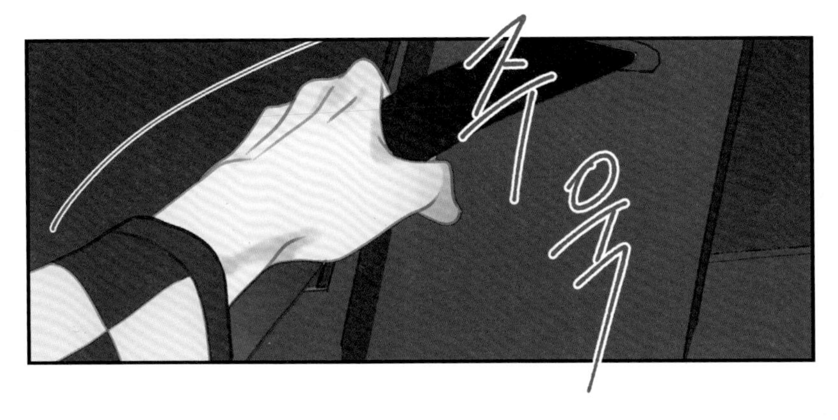

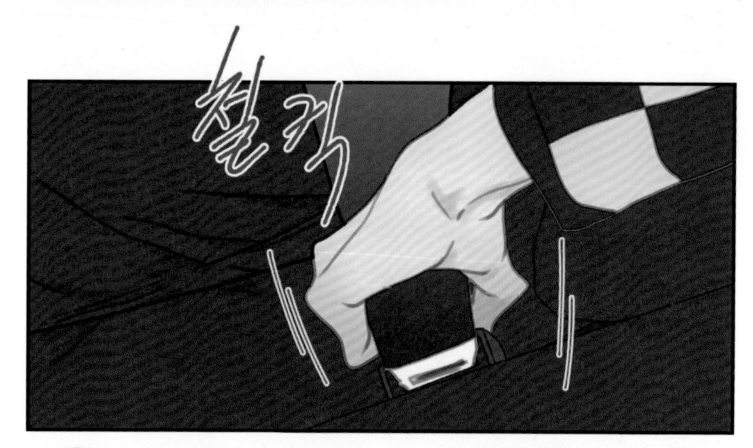
철컥

뭐야,
형?
어…
미안.
엄마한테 해주던
버릇이 돼서….

이런 건
애인한테나
해줘야지.
그러게
말이다.

부웅

콰악

하아
형….
빠앙

TOEFL
끼이이

하아
하아

하아
하아
이번엔
뒤로 해줘.

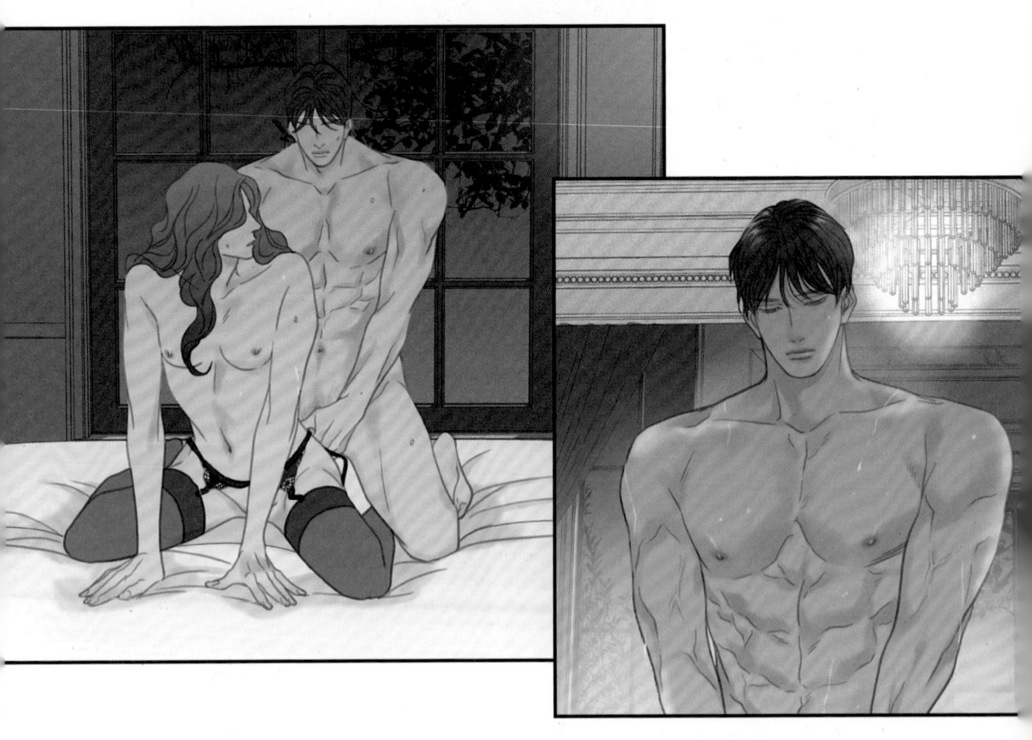

하아―.
형….

잠깐,

유정 씨,
거기 아냐.
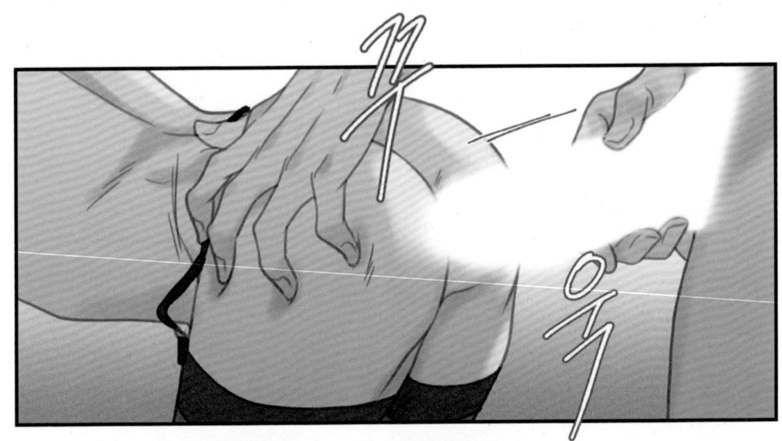
꾸
욱
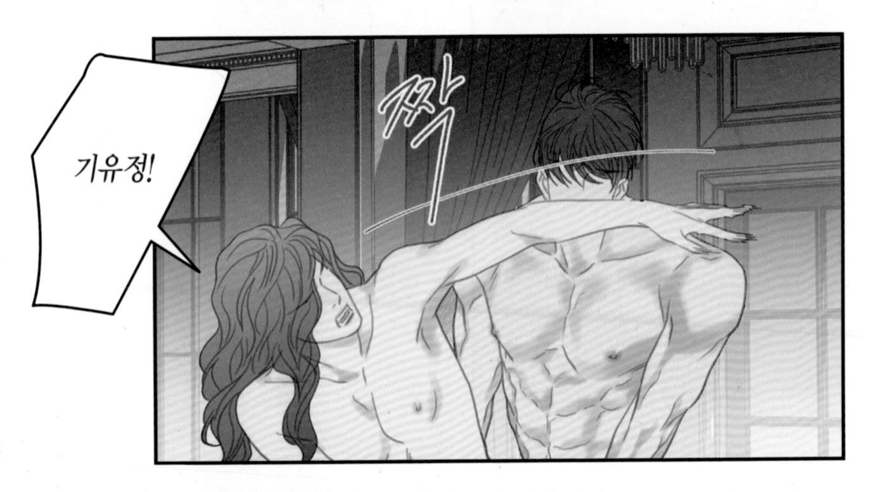
짜악
기유정!

죄송합니다.

왜 그래??
갑자기 애널 섹스에 관심이라도 생겼어??
그건 무작정 시도한다고 되는 게 아냐.
준비가 필요하다고.

…….

무슨 일이라도 있어?
아뇨….

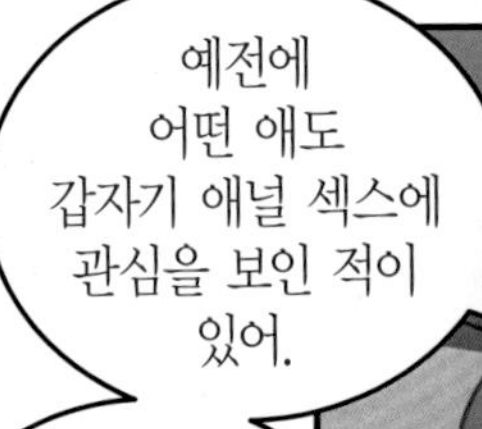
예전에 어떤 애도 갑자기 애널 섹스에 관심을 보인 적이 있어.
사실은 게이 섹스에 관심이 생긴 거였지.

너도 그거야?
아닙니다!

후
…아니면
됐어.

새로운
자극이라도
필요한 거야?
한 명
초대할까?
여자든 남자든
유정 씨 원하는
사람으로.

데이트는
잘 했어요?

네?
아,
형이요?
하하

사장님,
오늘 주방 인턴
오는 날이죠?
몇 시에
와요?

3시에
올 거예요.
빨리
3시 됐으면….
너도 기대되지,
그지?

이제 선우가
막내 아니네.
큭큭큭

이번에 주방에서
함께 일 할
권민 씨입니다.
권민입니다.
잘 부탁합니다.
꾸벅
짝
짝짝
짝

띠용

톡톡
톡톡

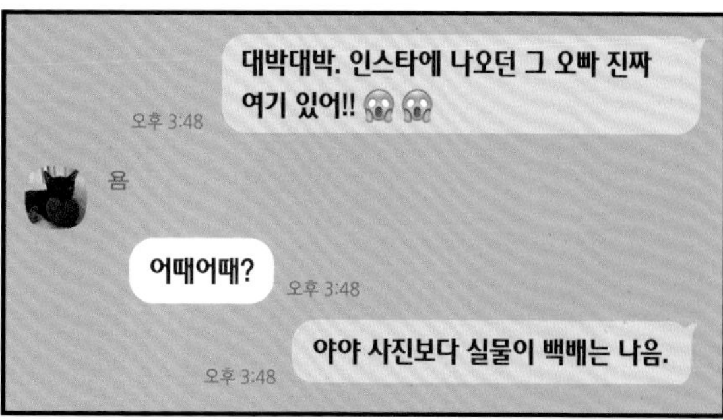
대박대박. 인스타에 나오던 그 오빠 진짜 여기 있어!! 😱😱
오후 3:48
욤
어때어때?
오후 3:48
야야 사진보다 실물이 백배는 나음.
오후 3:48

여기는 사장도 얼굴 미쳤음.
톡톡
톡톡
총알 모으면 다들 가게로 보러 와라.

One
OPEN 10:30
CLOSE 21:30
BREAK TIME 15:00~17:00
매주 월요일 휴무

점심
예약한 손님들께
오늘 어렵겠다고
전화 돌려요.

지금
오고 있네요.

벌컥

너를 기다려

I'll be here for you.

너를 기다려

I'll be here for you.

지금
몇 십니까?
점심 예약한
손님들
다-.

몇 시까지
술을 먹었길래
냄새가
진동을 하죠?
이젠
사생활까지
참견하게요?

이게 어떻게
사생활이 되죠?
일에
지장을 주고
있는데.
점점
메뉴 개발도
안 하고,
담배 때문에
미각이 무뎌져서
음식 맛도
이상해지고.

장노아 씨
당신을,
고액의
연봉을 주면서
모시고 있어야 할
이유가 뭐죠?

뭐?
X발!!

장노아 씨.
당신은 오늘부로
해고야.
지금 당장
저 문을 나간 뒤에
마음껏 술과 담배를
하면 되겠네.

하!
그래. 어디
잘해봐라.

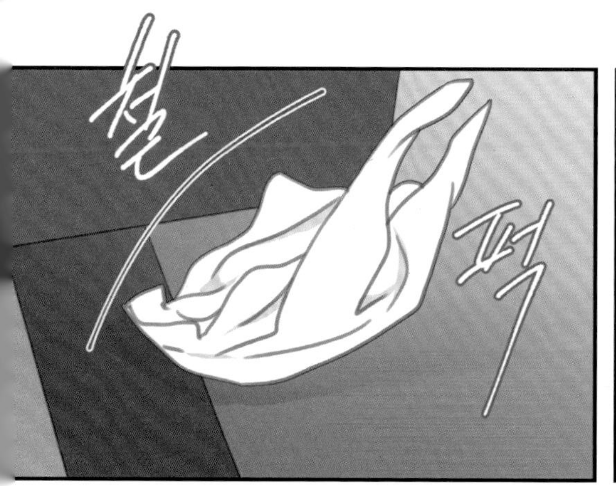
철
퍽

쾅!
매니저님, 지금 바로
임시로 봐줄 셰프
알아보세요.

세 계 로 영 어
D B 디 비 학 원
TOEFL
빵빵
빵
TEL.014-234-2275

RRR
...

네,
매니저님.
문자로
링크 하나
보냈는데,
빨리
확인해보셔야
할 것 같아요.

추천 게시물
이전 게시물
noah_jang • 팔로우
좋아요 96,473개
noah_jang 파인다이닝 ON*에서 잘렸습니다. ON*은 아는 사람은 다들 아는. 그곳 사장이 호빠출신으로 유명하죠... 더 보기
댓글 3,268개 모두 보기

일이 더 커지기 전에 법적인 조치를 취하는 게 좋지 않을까요?
96,473개
h_jang 파인다이닝 ON*에서 잘렸습니다. ON*은 아는 사람은
아는. 그곳 사장이 호빠출신으로 유명하죠.
에 대한 선입견을 가지긴 싫지만, 어처구니없는 이유로 잘리고
없던 선입견도 생깁니다.
요리라는 전문분야에 문외한임에도
간섭하며 개인의 취향을
근무 태만과 아랫사람 갑질 같은 걸로 SNS대응도 함께 하면-.
이거,
직원들도 봤나요?

글쎄요,
그것까진….

여기
근무하세요?
네.

사장님
출근하셨어요?

…….

여기
왜 이렇게
비싸?

오빠-.
손님이
왜 벌써
들어와 있어?

막무가내로
들어왔어요.
사장님은?

일찍
출근하셨는데,
매니저님하고
얘기 중이세요.

오늘
이상한 인간들이
왜 가게에 몰려왔나
했더니….
이것 좀
봐라.
이거
진짜예요??

…민아.
우린 일이나
하자.
이런 건
사장님하고
매니저님이 알아서
처리하실 거야.

직접 만나서
잘 구슬려봐.

오빠 진짜
사귀는 여자
없어요?

없어.

말도 안 돼.
그 얼굴로요?
눈이
너무 높은 거
아니에요?
좋아하는
사람은 있어.

짝사랑?
고백은
해봤어요?

했는데—
거절당했어.

말도
안 돼!
오빠,
그런 보는 눈도 없는
사람 버리고
나랑 사귀어요!
그럴까?

장난처럼
대답하지
말고요.
나 상처
받는다구요.

아-.

미안….

됐어요.
오빠가 언젠가는
내 매력에 빠져서
그 사람을 잊게
만들겠어!
크큭,
지금도
위험한 것
같아.

뭐야,
이 쉬운 남자!
퍽

그 사람
어디가 좋아요?

모르겠어.
어느 순간
정신차리고 보니,
눈으로 그 애만
좇고 있었어.
백선우

흐응~
나도 모르게
눈길이 가는
사람이었구나~.
엄청
예뻤나 봐요?
백선우
응. 예뻐.

어떤 여잔지 몰라도
내가 장담하는데,
객관적으로 아마 오빠가
더 예쁠걸요?
오빠 완전
어지간한 여자
씹어먹는 거
알아요?
나도 오빠
외모에 홀려서
여기서 못 나가고
있잖아요.
힘들어 죽겠구만!
심지어 이번엔
이런 일까지
생기고.

오빤 여기
안 그만둘 거죠?

응….

2:41

유정이가
잘 해결하고 있겠지?

너는 지켜줘야 할만큼
연약하지도 않고,
백선우

그렇다고 심지어 여자도 아닌데
왜 널 내버려둘 수가 없을까.

왜 내 눈에 넌,
늘 위태로워 보이고
안타까울까⋯.

글
내려주시죠.
고소하기
전에.

뭘로
고소하시게?
사실적시
명예훼손?

당신이
호빠 출신이라는 거
이쪽 업계에서
모르는 사람 없어.
가게 애들도
아마 이미 다
알고 있었을걸?

겉으로는
사장님, 사장님 해도
속으로는
다들 비웃고
있었겠지.
…그 얘기,

백선우한테도
했어?
뭐?
아,
당연하지.
오자마자
알려줬—.

너를 기다려

I'll be here for you.

너를 기다려

I'll be here for you.

야,
기유정.

너
백선우 어떻게
생각해?

…무슨
뜻이야?

백선우 진짜
괜찮은 놈이니까
잘해보라고.
무슨 뜻이냐고
묻잖아.

나 그런 데
편견없어.

뭐라고
씨부리는 거야.
헛소리하려거든
닥치고 꺼져.

야, 너
말이 왜 그래?
내가 뭐 나쁜 말
했냐?
둘이 잘
어울린다잖아.

휙
닥치라고
했지?
닥쳐!
닥치라고!!!
퍽
퍽

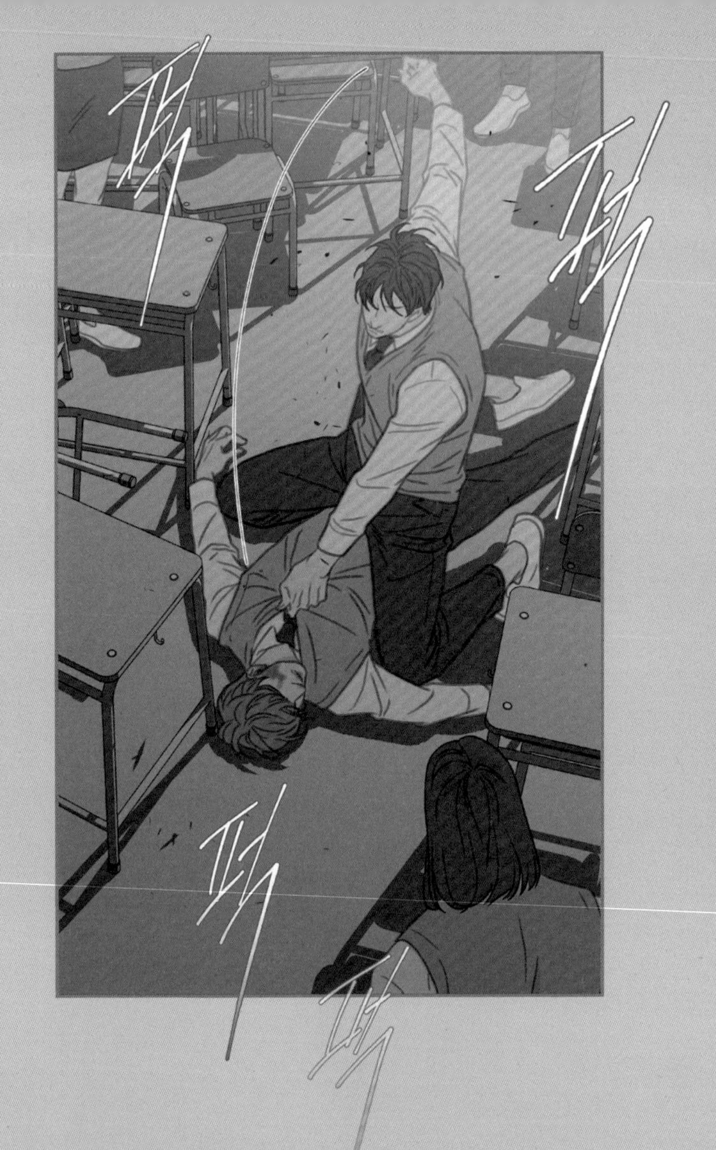
퍽
퍽
퍽
퍽

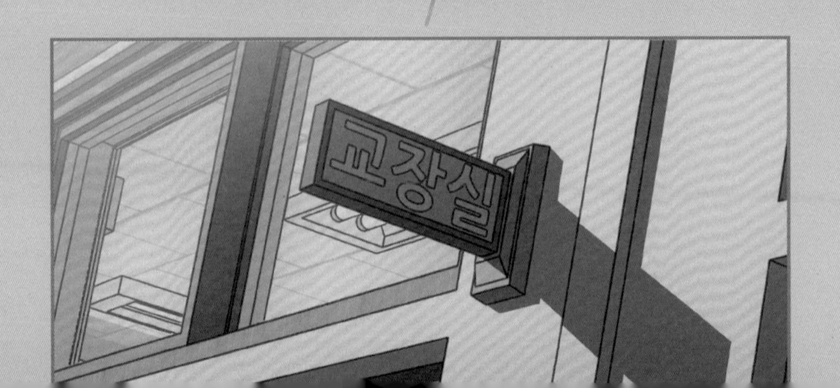
교장실

퇴학만
안 되게 해주시면,
제가 무슨 짓을 해서라도
피해보상은 하겠습니다.
피해보상이요?
어떻게
하실 건데요?
얘
고막 터졌어요.
이러다
병X이라도 되면
책임질 거예요?
부탁합니다.
제가
잘못 가르쳐서
그렇습니다.
다시는
이런 일 없도록
할 테니 제발….

벌컥

뭐하는 거예요,
일어나요, 빨리!
너도 빨리 무릎꿇고 사죄드려,
얼른!

벌컥

경찰 POLICE

장 셰프하고
잘 합의했어.

돌아가자,
유정 씨.

어디 가,
유정 씨?
LICE

선우….

백선우가
보고 싶어.

택시!

탁
레스토랑
'윈'으로
가주세요.

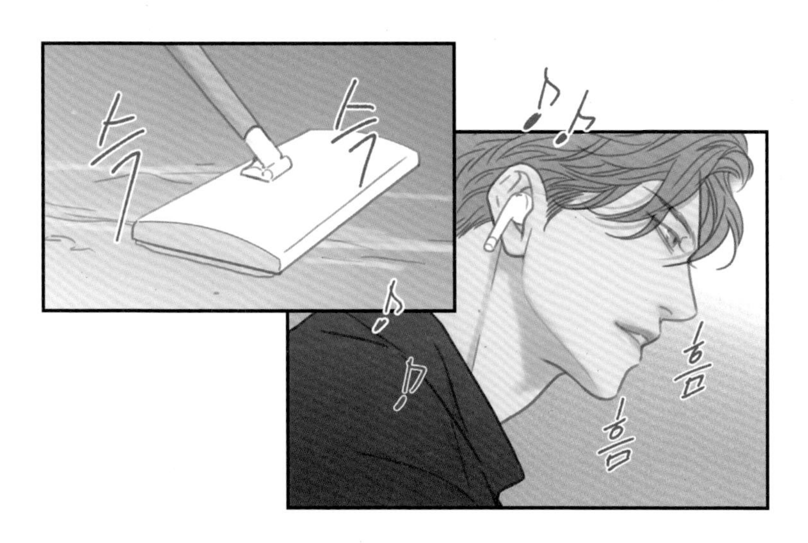
슥
슥
흠
흠

왜 혼자
청소하고
있어요?

사장님?
이 시간에
왜….

무슨 일—
있었어요?
왜 혼자
청소하고
있냐구요.

아, 민이가
갑자기 사정이
생겼다고 해서
일찍 가라고
했어요.

민이?
벌써
그렇게 부르는
사이가 됐나?
예?

인턴을 엄청
챙기네요.
아니,
챙긴다기보다…
여기 온 지 얼마
안 됐으니까,

얼마 안 됐는데
벌써 눈 맞아
시시덕거리고.
백선우 씨
정말
대단하네.

예전이나 지금이나
사람 기분 X같이
만드는 백선우.

…….

넌 날
좋아한다고
했지,
고등학생 때부터.
말로는
대단한 척
했지만,
결국 얄팍하기
짝이 없는 감정에
불과했던 거지.

동호회
형이란 놈과
붙어먹더니,
이젠 온 지
얼마 되지도 않은
여자애까지
꼬신 건가?

말씀이
너무 심하신 거
아닌가요?
사장님은
제 감정을
모르시잖아요.
사장님한테
제 감정을 함부로
판단 받고 비난 받을
이유는 없다고
생각합니다.

이유가
왜 없어??
고작
그 정도 감정으로
좋아하니 어쩌니
하는 거
솔직히 역겨워.

네 그
얄팍한 감정
때문에,
그 감정에
휩쓸려서,
나는 퇴학당하고
엄마까지 죽었어.

그게
내 탓이라는
거야?

그래.
전부
네 탓이야.
너 때문에
모든 게
엉망이야.
너만
없었으면—.

네가 몸팔아
사장된 것도
내 탓이란 거야?

뭐?
아—.

…말이
헛나갔다.

방금
한 말은 잊어,
미안해.

여길
그만두는 게
좋을 것 같아.
내일부터
안 나올게.

퍽

크-

콱

퍼억

뚜둑

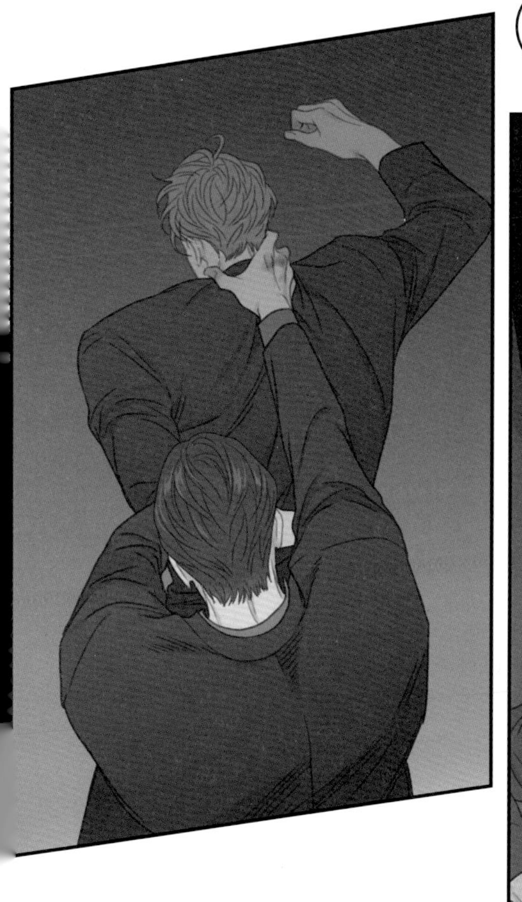

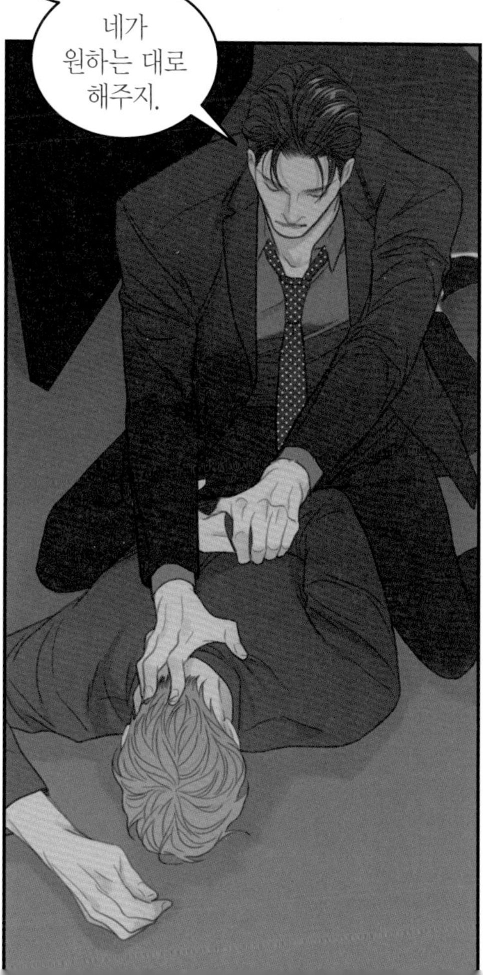
좋아.
네가 원하는 대로 해주지.

나하고
섹스가 하고
싶은 거지?
그렇게
해줄게.
부욱
투둑

X발,
왜
안 들어가는
건데.

…….

백선우…?

야!
백선우!

너를 기다려

I'll be here for you.

너를 기다려

I'll be here for you.

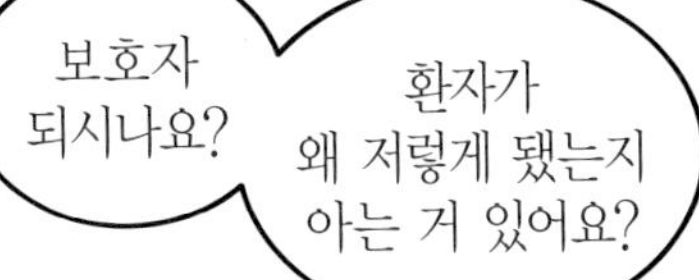

보호자 되시나요?
환자가 왜 저렇게 됐는지 아는 거 있어요?

응급실 EMERGENCY MEDICAL
뇌진탕에, 어깨가 탈골 됐고,
-문에 출혈과 열상이 있습니다.

병원에서
신고가
들어와서요.
아뇨.
그런 일
없어요.
혼자
다친 겁니다.
…….
어쩌죠?
피해자가 너무
비협조적인데.
괜한 헛수고
하지 말자.
보나마나 피해자가
수사를 원치 않는다며
공소기각 될 게
뻔해.

여기서
뭐 해?

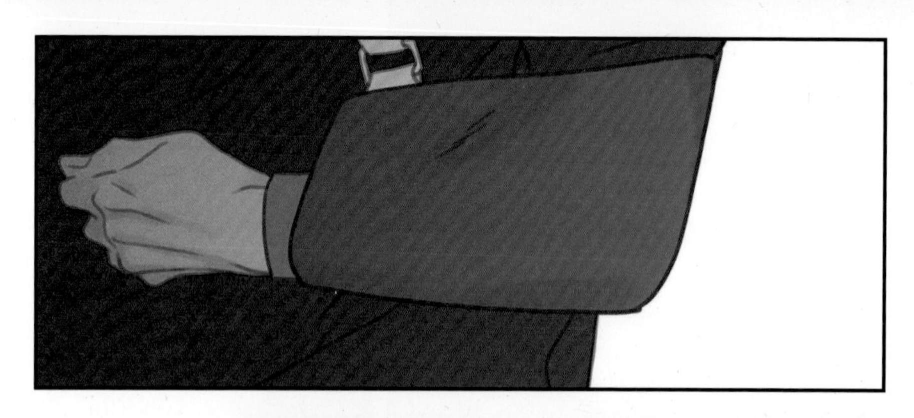

잘못했어.

용서받을 수
없는 짓이라는 거
알고 있어.
어떤 벌이라도
받을게.

그래?

내가
네 죄책감을
이용해도,
그래도
괜찮아?

네가
원한다면
뭐든 할게.

그럼,
나하고 만나.

나하고
만나줘,
기유정.

지금 애인과 헤어지라는 말은 안 할게.
대신 그 사람하고 함께 하지 않을 땐 나하고 있어.

알았어. 그렇게 할게.

끄덕

이렇게까진
안 해도 되는데.

근무시간
때문에 이렇게라도
안 하면 같이 있을
시간이 없잖아.
......

잠깐
들렀다 갈래?

RRR

12:00
세령씨
프라이버시 모드
수신
거절
메시지
보류

전화 받아.

네….

…….

뚝

그분이
너 찾아?
끄덕

알았어.
가봐.
내일
또 직장에서
만나잖아.
……….
심야영화라도
볼까?

아니야.
너 피곤한데
휴일에 만나는 게
좋지 않을까?
덜컥

…휴일은—.

아,
그분하고 있어야 하나?

그렇겠네.
내가 생각이 짧았다.

이번 휴일에 시간 내볼게.

정말? 그럼 우리 그날 가까운 곳으로 당일치기 여행이라도 갈까?
그래….

피곤해요.

콱
세령 씨,
그만—.

너
바람피우니?

…아뇨.

그래야겠지.
난 기유정이 가장 두려워하는 게 뭔지 잘 알거든.

지금 가진 걸
모두 잃어버리고,
다시 예전처럼
빈털터리가
되는 것.

그런 네가 감히
바람 피울 리가 없지,
그렇지?

너를 기다려

I'll be here for you.

너를 기다려

I'll be here for you.

탁
오래 기다렸어?

…아니.
빨리 출발해야지. 점심때 맞춰 도착하려면.

철썩
철썩
쏴아아

유정아.
응?

손
잡아도 돼?

어.
피식

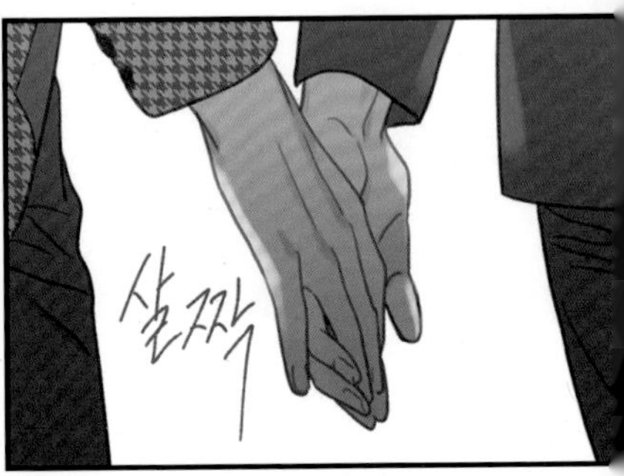
살짝
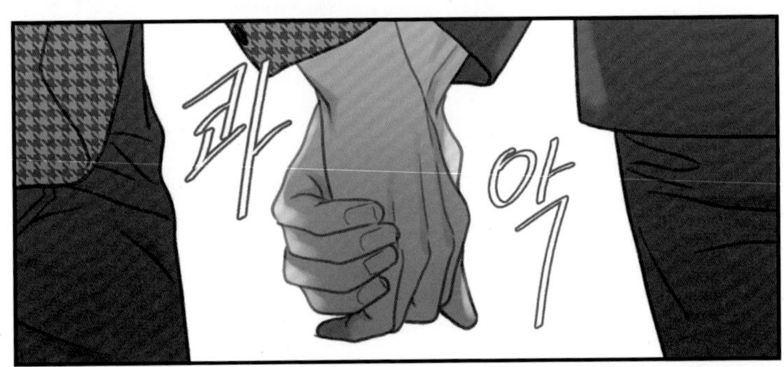
콰악

왜?

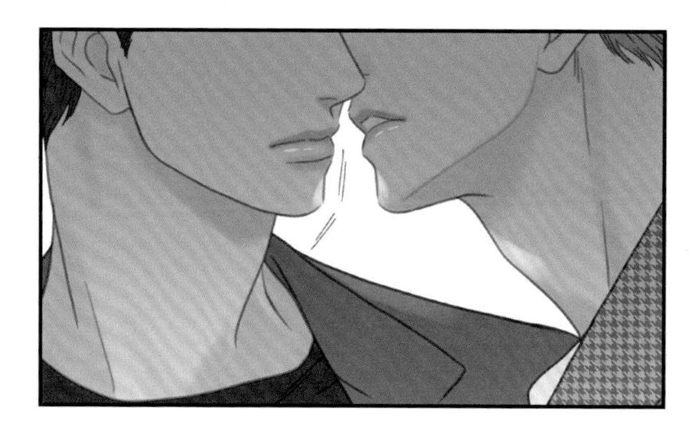

유정아.

네가 날
안 좋아하는 건
알아.
네가 죄책감에
억지로 맞춰주고
있는 것도.
남자와
어울리는 걸
얼마나
싫어하는지도.

이제
그만 하자.

네가 날
강간하려고 했을 때,
그때 네 대답은
이미 알고 있었어.
내 감정이
네게 어떤
의미인지—.

네가
가끔씩 보여주는
작은 행동에
혹시나하는 기대를
가졌었어.
그랬는데,
그게 얼마나
어리석은 건지
확실히 깨달았어.

잘 가,
기유정.

이제
두 번 다시
네 눈앞에 나타나지
않을게.

띠띠띠띠

띠띠띠띠

띠띠띠띠

띠띠띠띠

매니저님.
백선우 씨 출근했나요?
아뇨,
아직 시간 여유 있으니까….
오늘 백선우 씨 안 나옵니다.

예??

아니, 계속
안 나올 테니
사람
알아보세요.

사람 구할
시간도 안 주고
그렇게 갑자기
그만두다니….
그럴 사람으로
안 봤는데….

아, 옥탑방
총각?

아침 일찍
방 빼서
나갔어요.
본가로
간다고 했나?

미리 얘기도 없이
이렇게 갑자기
나가버리면
어쩌라는 건지
모르겠어.
아, 물론
보증금은 방 나가면
그때 줘도 된다고는
했지만.

이 시간에
어쩐 일이야?

드릴 말씀이
있어요.

이거
어느 방으로
옮길까요?

이층 방으로
옮겨주세요.
저게
다 뭐야?

당신 나 몰래
선우 녀석한테
돈 부쳐줬지?
줘도
거절했어.
당신은
아직도 선우를
몰라?

드르륵

어서 와,
내새끼.

엄마.
그래. 많이
힘들었지?

엄마…
내가 다
망쳤어요….

너 울어?
왜 그래?
뭐 잘못됐어?
괜찮아.
편입하면 돼.

내가
기유정한테
상처줬어요.
나만
아니었으면
기유정은
평온하게
살았을 텐데,
내가
다 망쳤어요.
내 미련한
감정이
기유정을
망가뜨렸어요….

너를 기다려

I'll be here for you.

너를 기다려

I'll be here for you.

드릴 말씀이
있어요.

…진심이야?

…….

네가 날
배신할 줄은
몰랐어.
내가 네게
여태 어떻게
해줬는데.
죄송합니다.

내 덕분에
사람 꼴 하고
살더니 아주
배가 불렀구나?
너 이게
무슨 의민지는
알지?
네가 묵고 있는
호텔에서도
나가야 하고,
지금의 가게에서도
쫓겨나는 거야.
다시
빈털터리가 돼서,
가진 것 하나 없는 초라한
처음의 기유정으로
돌아가는 거야.

알고
있습니다.
지금 끝내면
다시 돌아와도
받아주지 않아.
두 번 다시
기회는 없어.
…네.

…….

꼴 보기
싫으니까
꺼져.

너 찾느라
힘들었어.

백선우
어딨는지 알면
좀 가르쳐줘.
날
왜 찾는데?
22-43

내가 왜?
부탁해.
백선우를
꼭 만나야 해.

…….

싫은데.

이동규.

너무 늦었지만, 미안했어.
그때 널 때린 거 사과할게.

왜
그랬는데?

무서워서
그랬어.
무서워?

네 말을
듣는 순간,
내가 뭘
두려워했는지
깨달았거든.

나는 계속,
백선우를
좋아하게 될까봐
무서웠어.

누구 너 찾아오지 않았어?
누구?

야, 우리 여행갈까?
너 편입 준비 시작하면 시간 없을 거잖아.
아니다.
지금? 어디로?

바다 보고 싶다. 바다 가자.

인천?
아니,
강원도 가자.

강원도까지?

그럼
아예 여행 가방
싸야겠는데?
대충해.
필요한 건
거기 가서
사면 되지.

딩동
딩동
딩동

친구하고
여행 갔어요.

……….

날 피하는 건가….

누구라고
전해줄까요?

그냥 친구가
찾아왔다고….

아니,
선우가 제
물건을 가지고 있어서
돌려받으러 왔었다고
전해주세요.

웅—

친구가
찾아왔던데.
친구
누구요?

기유정이라고,
네가 사기
물건을 가지고
있다던데?

엄마 말로는 내가 네 물건을 가지고 있다고 하던데.
거짓말이야.
네가 날 안 만나줄까봐 거짓말한 거야.

…….
뭘 어쩌겠다는 건지 모르겠다.
후

대표님하고
헤어졌어.
뭐?
너한테
오려고 전부
다 버리고 왔어.
집도, 직장도.
이제
나는 다시
빈털터리야.

이제
내게 남은 건
너밖에 없어.

네가
날 받아주지
않으면
난 진짜
갈 데가 없어.

제발
날 받아줘,
백선우….

난 왜
널 미워할 수
없을까….

기유정,
내가 네
전부가 돼줄게.

너를 기다려

I'll be here for you.

너를 기다려

I'll be here for you.

내 인생을 망치러 온
나의 구원자, 백선우.
–박찬욱의 ‘아가씨’중–

지금 집에 가는 중이야.

아, 알았다니까!

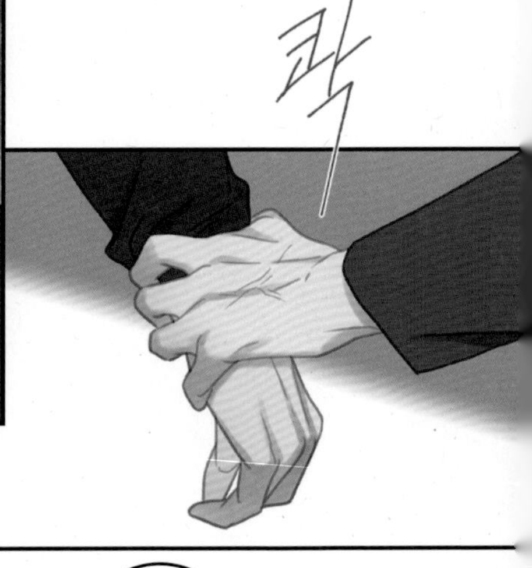
콱

어?

잠깐.
어디로….

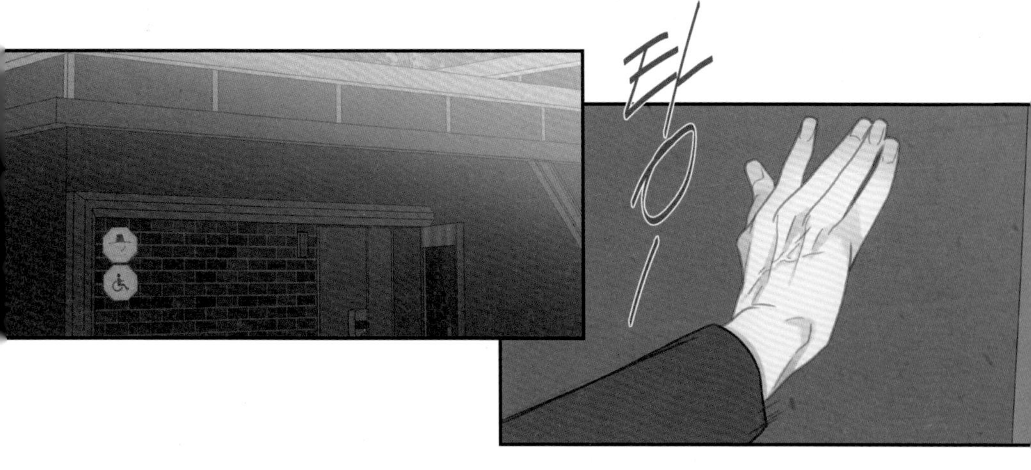
탕

읍

콱

툭

하아—

춥
춥

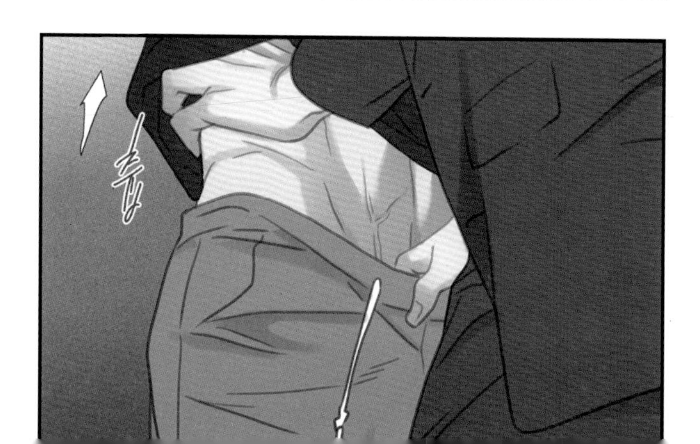
춥

하아
츕
츕
읍
하아

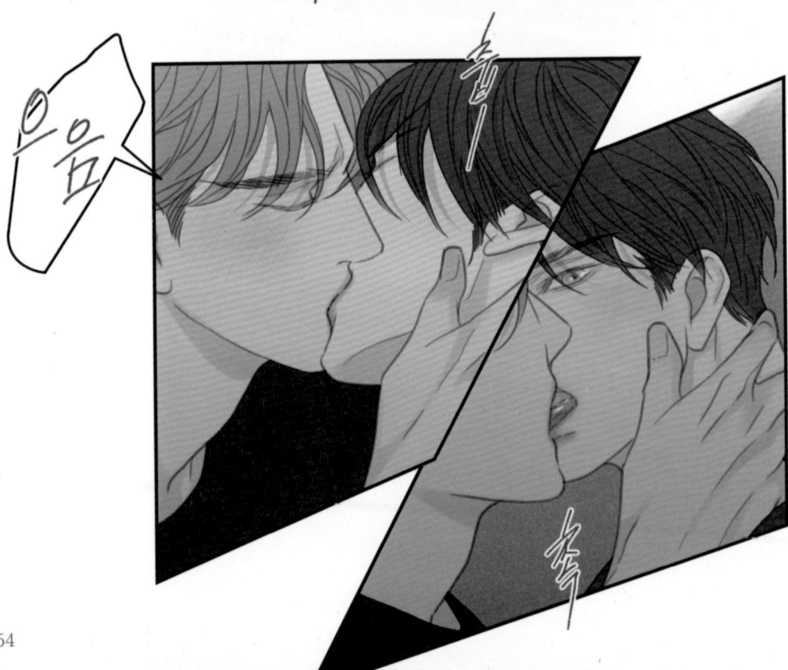
츕—
으읍
측

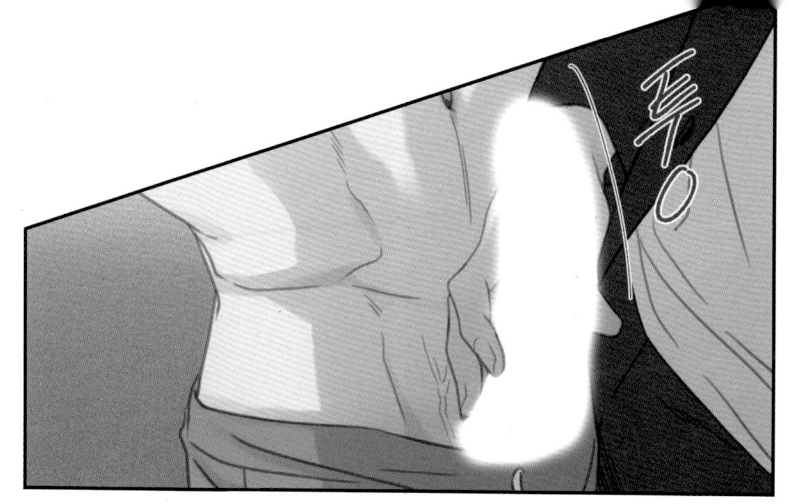
툭

나도
만져도 돼?
하아
하아

끄덕

하아—
헉 헉
꾸욱—

츕
츄읍
스윽
츄읍
스윽

헉
하아—아
츕
츕

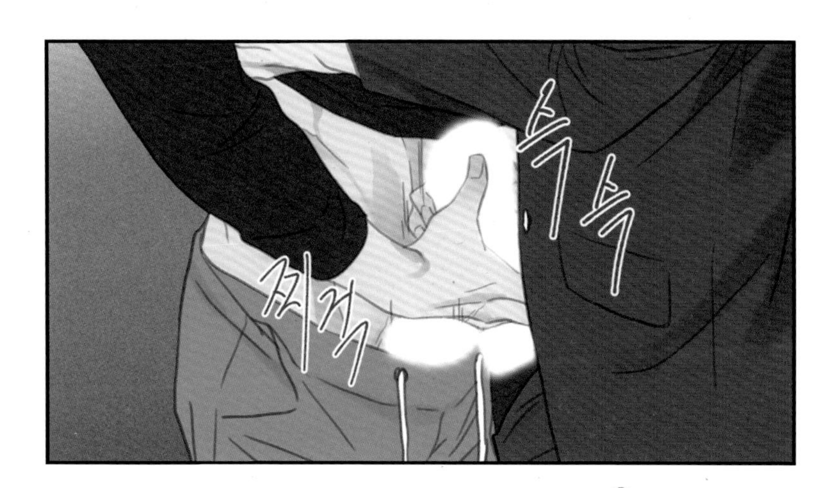
흑흑
찌걱

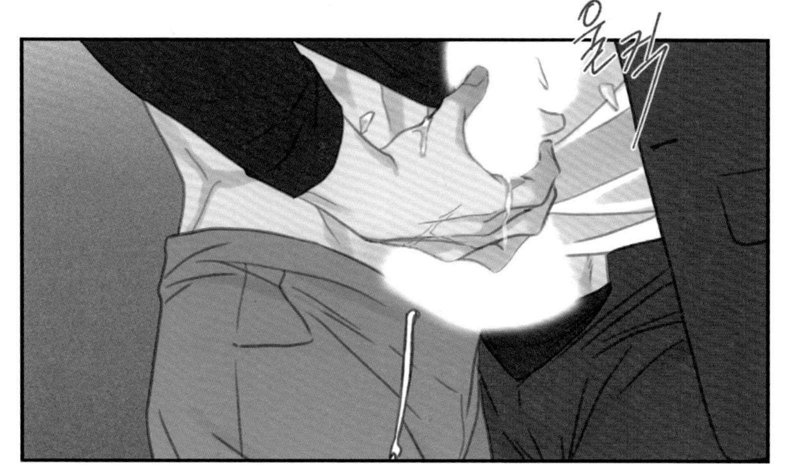
울컥

아앗-
하아
하아

하아
하아

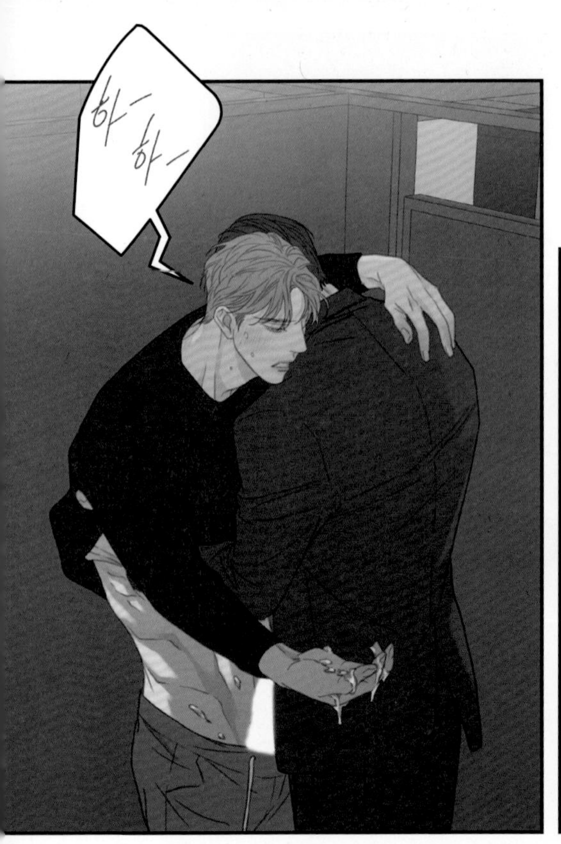
하ㅡ 하ㅡ

휴지ㅡ.

어?

엎드려 봐.

뭐야?
내가
아래인 거야?

찌걱
푹
찌걱

으...
찌걱
찌걱

찌걱
찌걱

미안해.
더 풀어주고 싶은데,
내가 한계야….

주륵

꾸욱

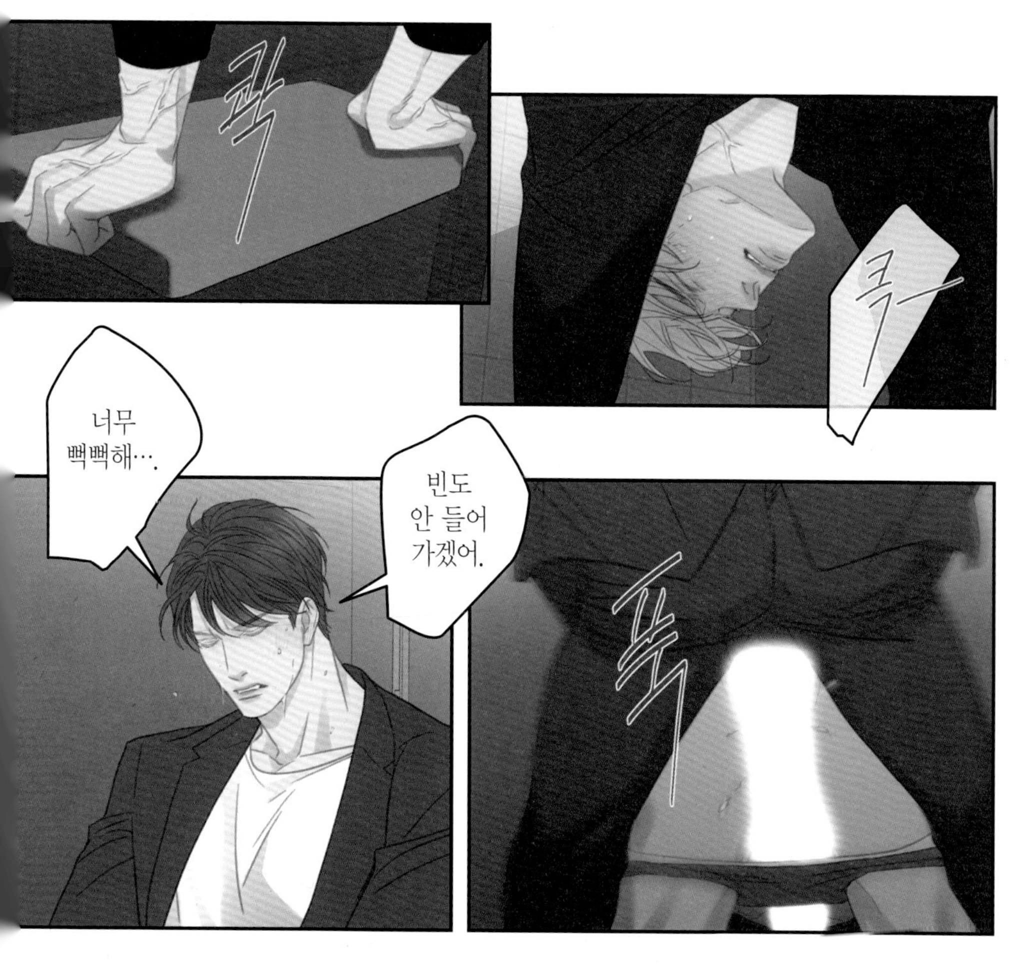
콱
쿡
너무 빽빽해….
빈도 안 들어 가겠어.
푹

헉
헉

주륵

찌걱
찌걱
찌걱
아-
아-
아-

하아
찌걱
찌걱

큿—
젠장….
푹
너무 아프다….
크윽
푹

헉 헉
푹
푹
찌걱

푹
뚝뚝
뚝
푹

푹
푹
윽
크읏
뚝뚝

선우야….
헉
헉
백선우….

내가 너하고
이 짓을 얼마나
하고 싶었는지
모를 거야.

……….

너를 기다려

I'll be here for you.

스윽

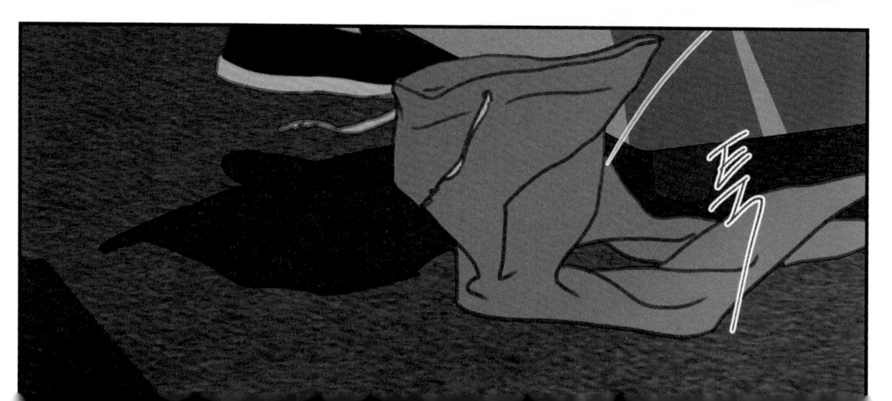
특

끼이

꾸욱
츄읍
츕
문질
문질
하아
쪽
쪽
하아

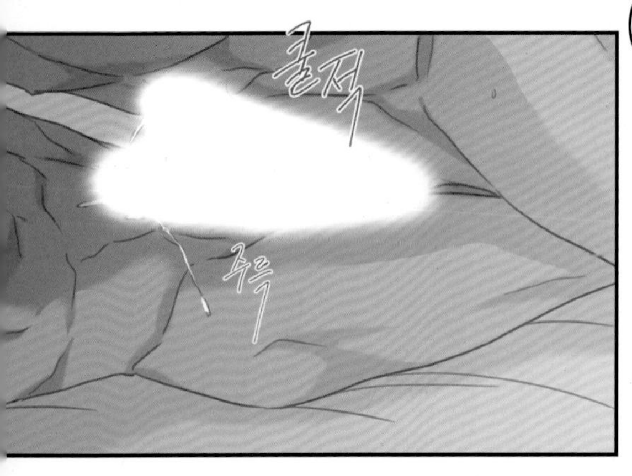
쿨적
주륵

선우야.
내 위에서 넣어봐….

…….
아, 이거….
얼렁뚱땅 포지션 정해져 버린 건가?

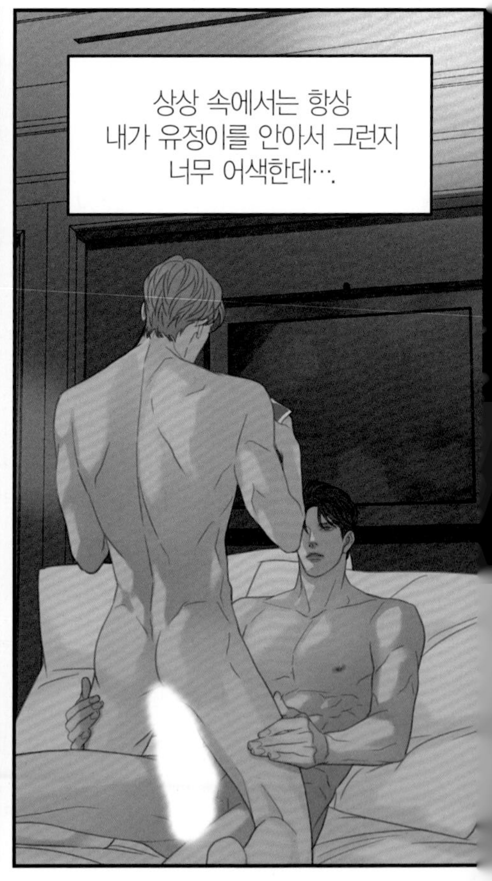
상상 속에서는 항상 내가 유정이를 안아서 그런지 너무 어색한데….

찌익

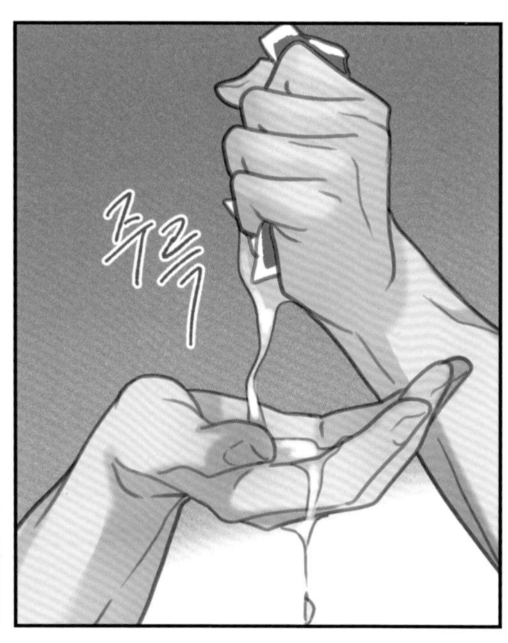
주륵

너가 위면 어떻고

아래면 어때.

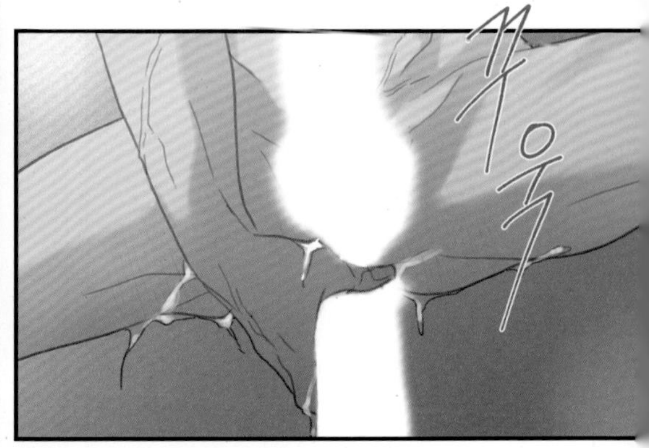

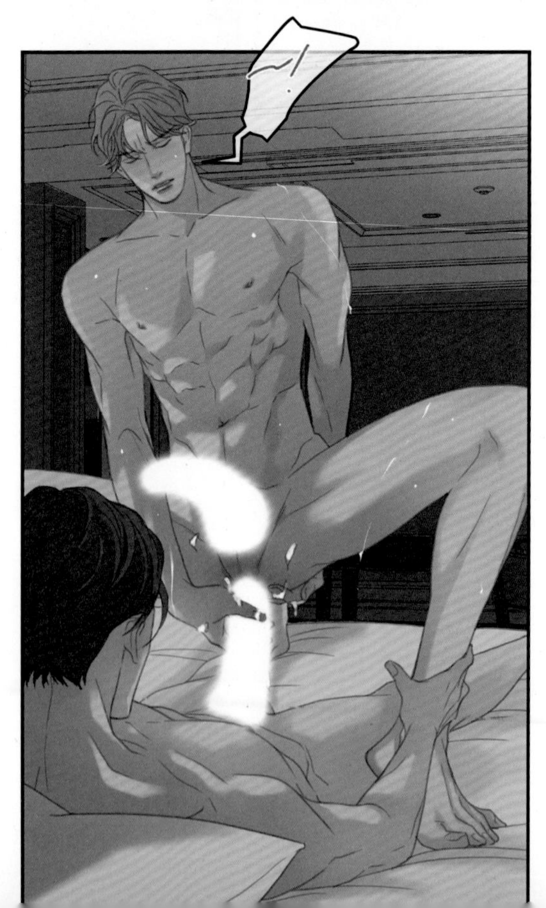

아!!
안 들어가는데….
이거
들어가는 거
확실해??

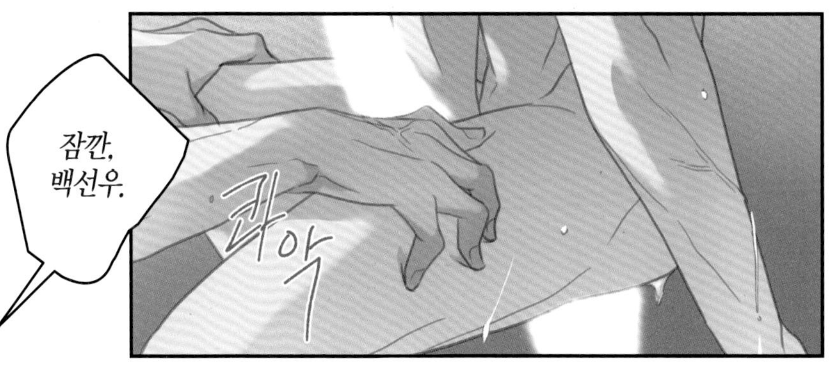
잠깐,
백선우.
콰악

…부러지겠어.
꾹

…….
꽂—

해면체라 부러지지는 않지만,
그래, 부러지는 것과 비슷하기는 하지.

안 되겠다,
엎드려봐.

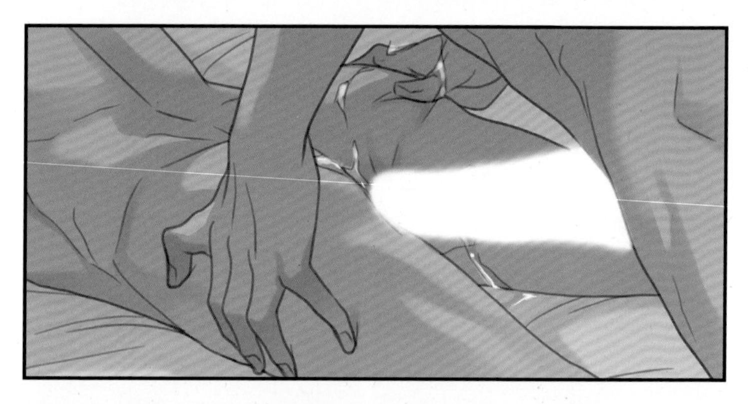

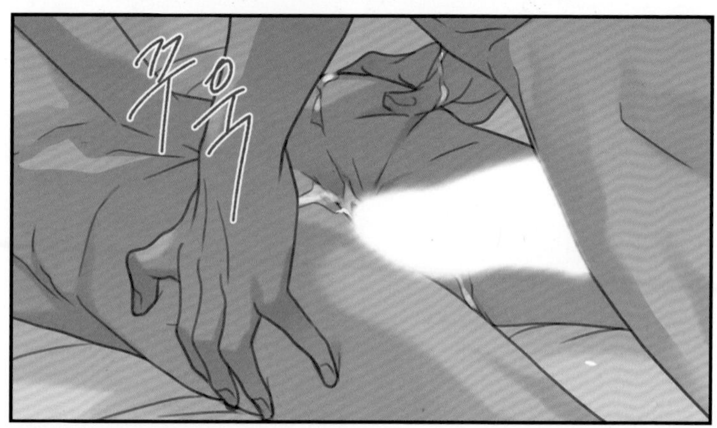
꾸욱

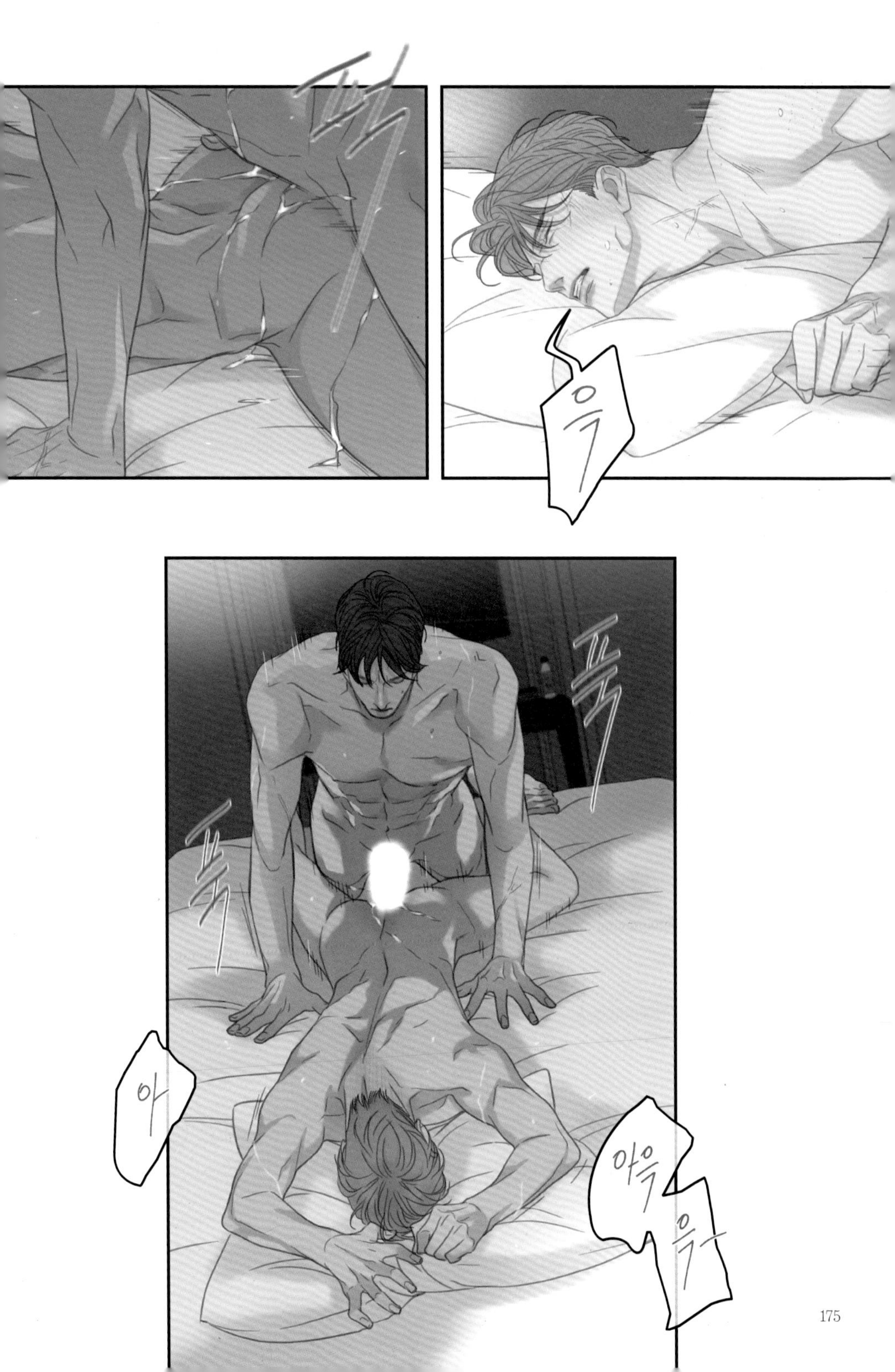
퍽
윽
푹
푹
아
아응
응-

윽 아읏
끼이
푹푹
푹
푹
끼이

큭

그렇게
힘들어??
울만큼?

운다고?
내가??

미안해.
힘들어도
그만두는 건
안 될 것 같아….

콱
아-

푹
푹
퍽
퍽

하아
하앗
퍽
퍽
하앗

끼이
끼이
그만….
이제 더는
못 하겠어.
찌걱
찌걱

찌걱
찌걱

안 돼….
아직
멀었어.
적어도
일 년치는 해야
직성이 풀릴 것
같아.

미친놈아….

확

철퍽

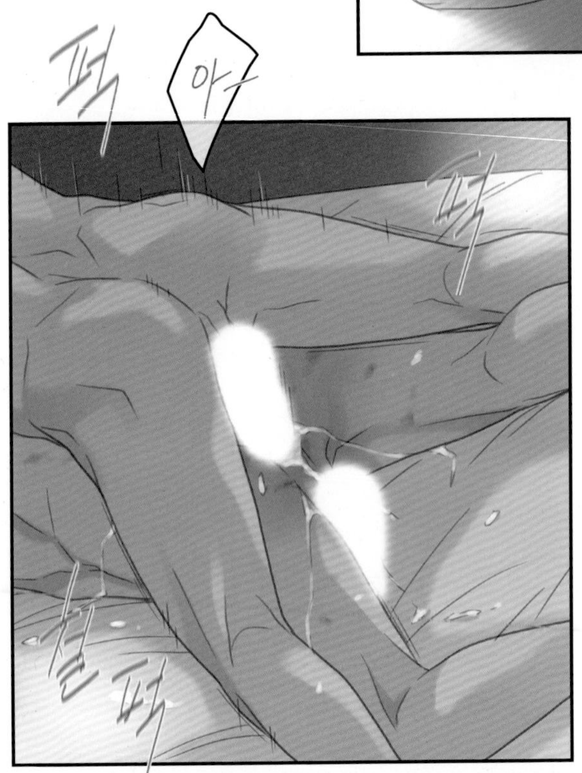
퍽
아-
퍽
철퍽

아윽
읏
철퍽
유정아….
조금만
천천히….
철퍽
철퍽
흐읏
선우야…
선우야….
백선우….
하아
하읏
…….

너를 기다려

I'll be here for you.

골육종이 이미 임파선을 타고 온몸에 전이가 됐어요.
폐가 전부 종양으로 덮였습니다.
환자가 평소 통증을 호소하지 않았나요?

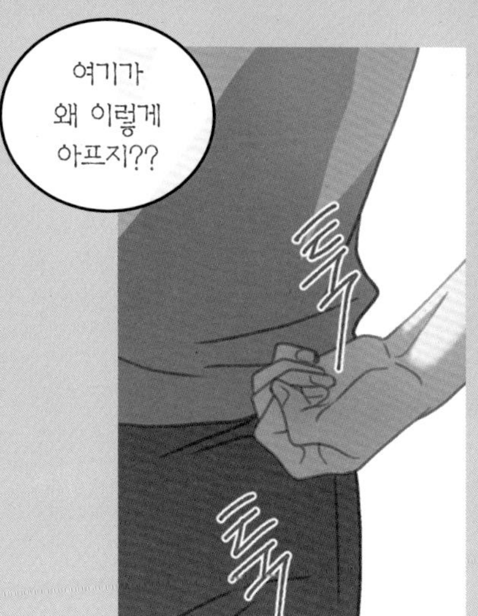
여기가 왜 이렇게 아프지??

병원 가 봐요.
이러다 말겠지.
파스 붙이면 돼.

나,
기억해?
네
큰아비다.
먹고 사느라 바빠서 여태 한 번 찾아와보지도 못 했는데, 이런 일이 생기네….
엄마 보험 들어놓은 건 없어?
모르겠어요.
지금 집 보증금 있지? 그거 빼서 우리랑 합치자.
지금보다 좀 더 넓은 집 얻으면 네 방 하나 정돈 줄 수 있을 거야.

너는
취직할 생각은
안 하는 거야?

검정고시
준비하고
있어요.

검정고시?
그런 걸
뭣 땜에
하는데?
우리 집 형편에
설마 대학이라도
가게?

고등학교
졸업장은 있어야
하잖아요.
하! 아주
배가 불렀구나.
지 큰아비는 맨날
녹초가 돼서
들어오는데.
입 하나
더 느는 게 얼마나
부담스러운지
모르지?

그래서 따로 나가 살 생각으로
보증금을 돌려달라고 했지만,

돌아오는 건 거절이었다.

당연하게도 몇 년이
지나도 큰아버지로부터
보증금은 돌아오지 않았다.

고등학교 중퇴로는
구할 수 있는 직업이
한정되어 있어서,

숙식을 제공하는
공사현장을 따라 다녔다.

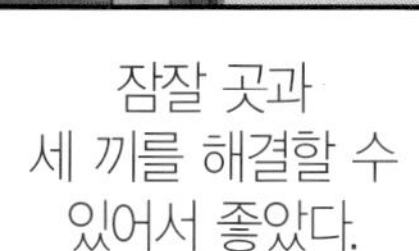

좋은 건 딱
그것뿐이었다.

탕
탕

출
렁

백선우를 떠올리면
알 수 없는 감정이 차올랐고,

그와 동시에 허무했다.

어차피 아무것도 달라질 수 없었겠지.

걔와 나는 결국
다른 세상을 살아가게 됐을 테니까….

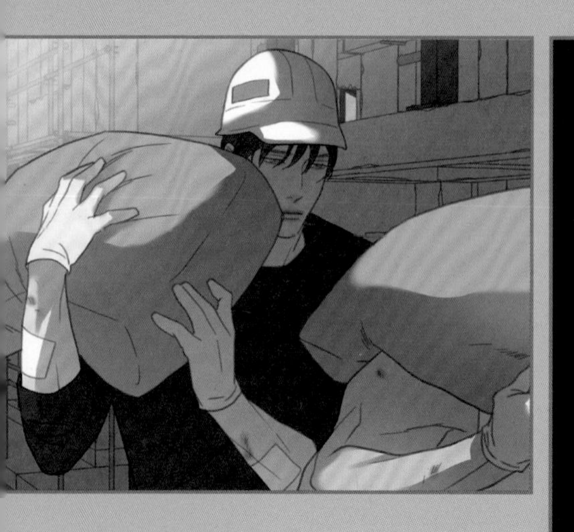

백선우,

나와는 절대
공존할 수 없는 존재.

그걸 처절하게 깨닫고 나니

백선우를 떠올리는
나 자신이 너무 우스웠다.

부질없이 미련에 매달리는 내가 우스웠다.

아니면, 스스로 잊고 싶었던 건지도 모른다.

백선우를 떠올리면

깊숙한 곳 어딘가에서

통증과 비참함이 밀려왔으니까.

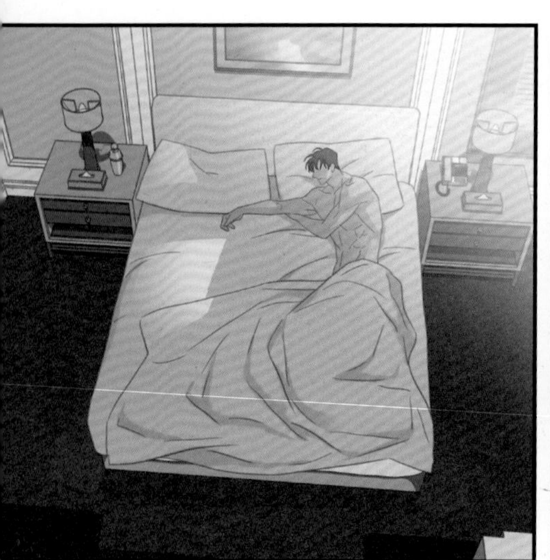

백선우?

선우야!
백선우!!

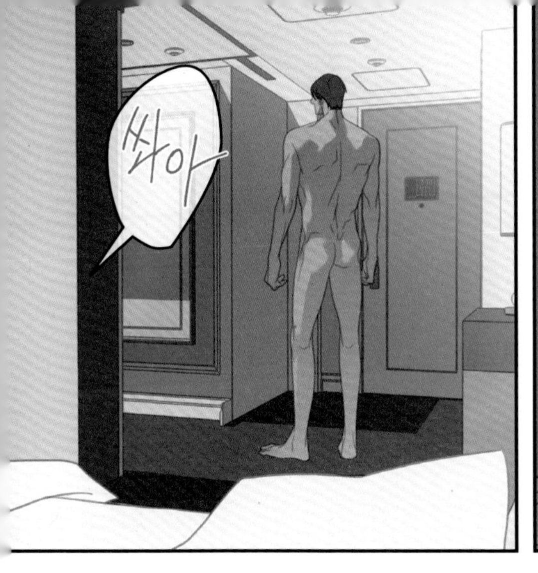
쏴아

쏴아

쏴아

어?
왜?
욕실
사용해야 돼?

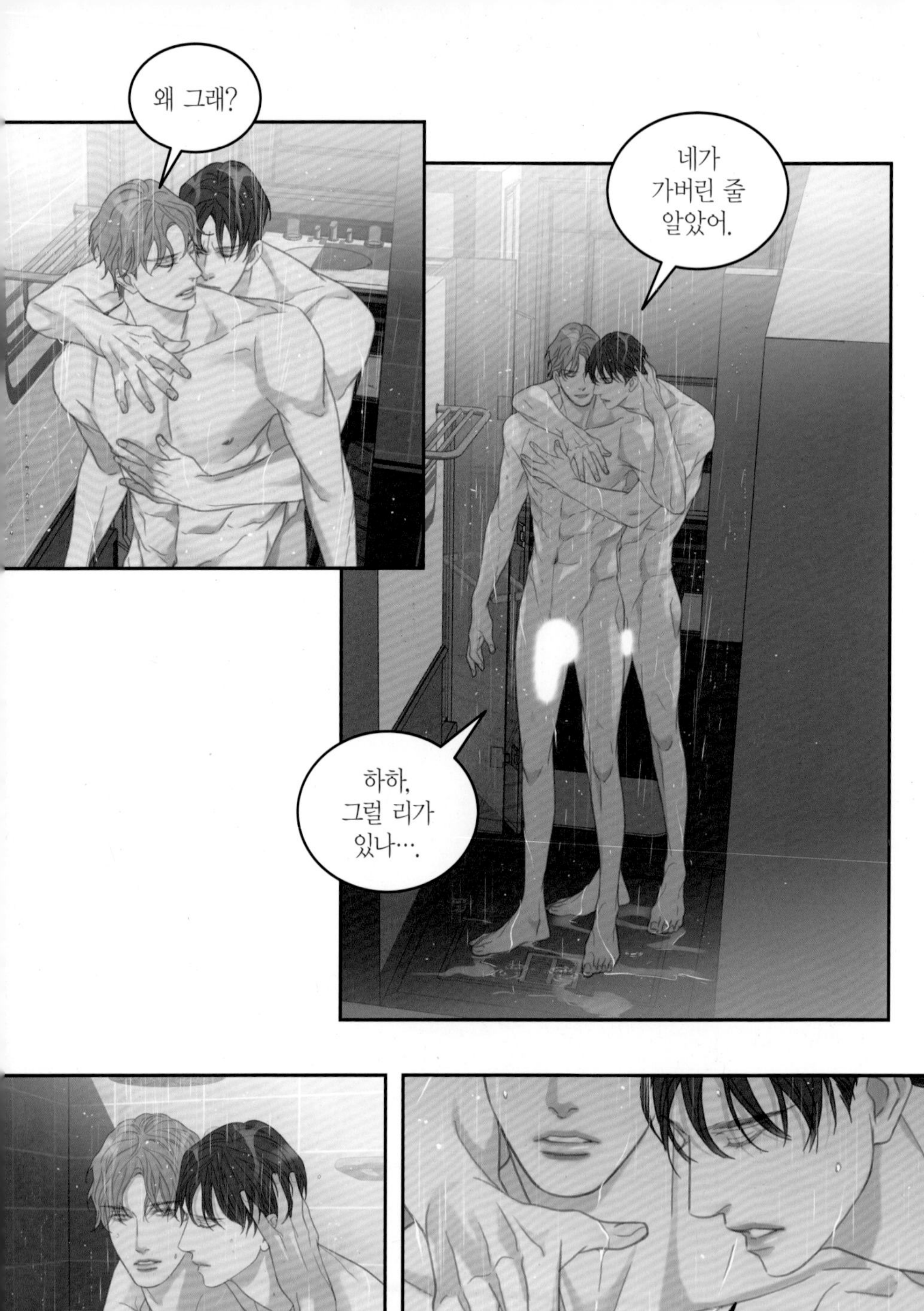
왜 그래?
네가 가버린 줄 알았어.
하하, 그럴 리가 있나….

선우야….

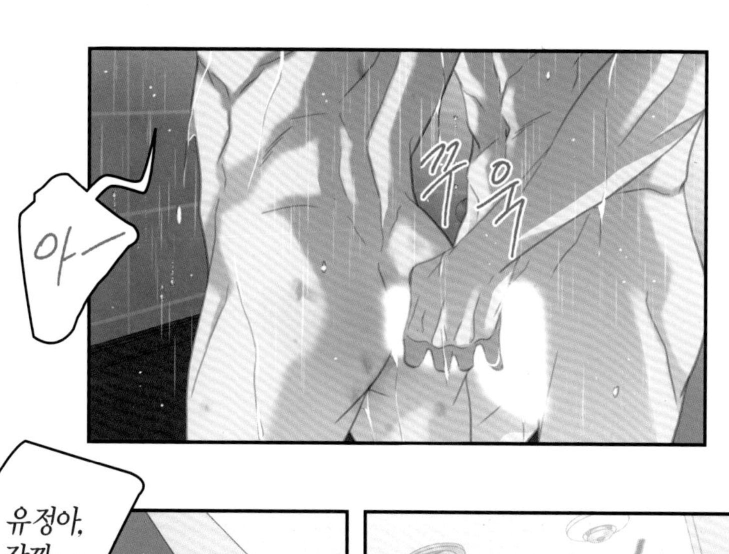
꾸욱
아—

유정아,
잠깐—.

철퍽
아앗—
아—
앗—
철퍽

철퍽
철퍽
아읏
선우야…
선우야….
철퍽
퍽
철퍽
철퍽
아….

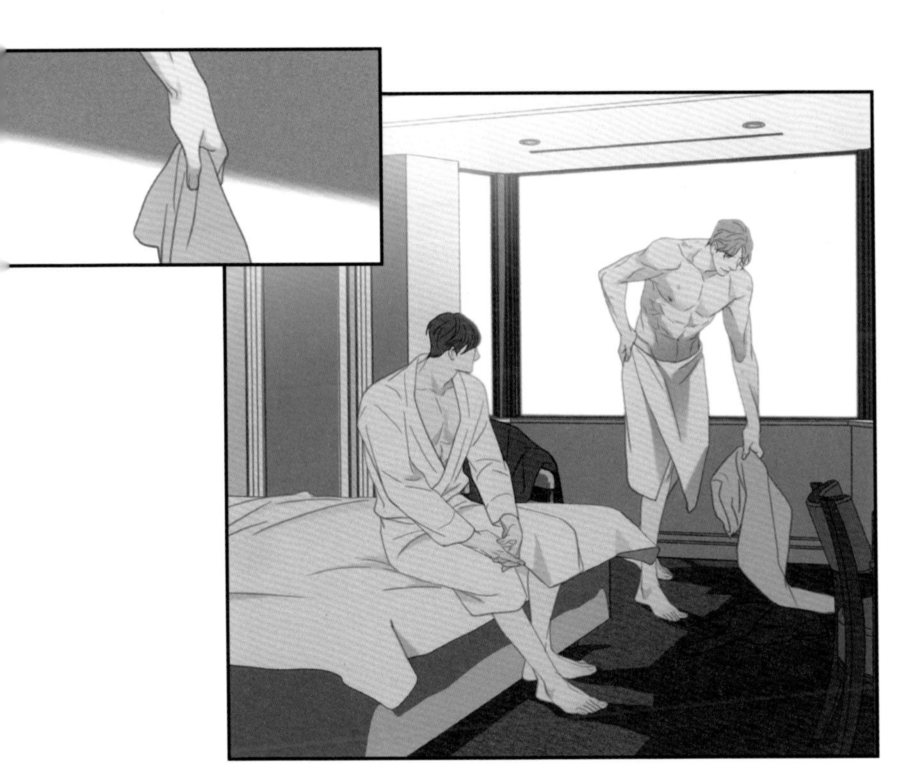

으….
허리, 엉덩이
안 아픈 곳이 없네….

너 지금
지내는 곳이
어디야?

아는 사람
집에서 당분간
신세 지고 있어.
집을 얻을까도 했는데,
정기적인 수입도 없는
상태에서 덜컥 집을
구하는데 목돈을
쓰는 게 겁이 나서….
월세
나가는 것도
너무 아깝고….
그래서
어떻게 할지
고민 중이야.
모아둔 돈은
얼마야?

2억 좀
못 되게….

그래,
그 돈은
그냥 두자.
네 말대로
급한 일이
생길 수도
있으니까.

유정아,
한 달
아니 보름만 더
그 사람 집에서
신세 질 수
있을까?
보름만
기다려 줄래?

9:41
어머니
부재중 전화(15)
헉!! 큰일 났다.
나 빨리 집으로 돌아가봐야 할 것 같아.
엄마한테 집 앞 공원에 잠깐 나갔다 온다고 했거든.

연락할게.
무슨 일 있으면 전화하고.
저기—.

??

전화하니까
안 되던데….

아…
미안.
차단해서
그래.
차단
풀었으니까
이젠 전화 돼.

쪽

연락할게.

…….

쪽

쪽

쪽

쪽

으—
안 되겠다.

자꾸
키스하고
싶어져서.
빨리
가야지!

연락할게.

탁

드르륵
백선우, 너!!!
전화도 안 받고!!
갑자기 집 앞 공원 간다는 애가 연락도 없이 밤을 세우고 와??
죄송해요.
친구랑 술 마시다 보니 취해서 깜빡했어요.
얼마나 걱정한 줄 알아??
너 여기 와서 좀 앉아봐.

아…
앉는 건 좀…
힘든데 그냥 서서
얘기하면
안 돼요?
왜?
치질이라도
걸렸어?
비슷해요,
하하.
거기가 너무
아파서 못 앉는 건
비슷하니까.
빨리
병원 가봐.
그거
오래 방치하면
안 돼.
네, 근데
아버지 병원 출근
하셨어요?
아직 계셔.
아버지도
걱정하느라
못 잤어.
…….

아버지.
드릴 말씀이 있어요.
뭐냐?

저…
어차피 편입하면 학교로 등교해야 하는데,
근처 방 하나 얻어주세요.
미리 거기서 공부하는 게 더 안정적일 것 같아서요.

그래.
너 편입할 때쯤은 기숙사도 없을 테고.
아예 병원 근처는 어떠냐?
어차피 편입하자마자 금방 병원으로 실습 나가야 할 테니.

그것도
좋죠.
어떤 집으로
구해줘??
오피스텔?
아파트??
아파트가
편하겠지?

아버지가
알아서
구해주세요.
대신 방은
두 개 이상이면
좋겠어요.
생활비도
주실 거죠?
공과금,
차량유지비에
생활비 따로요.

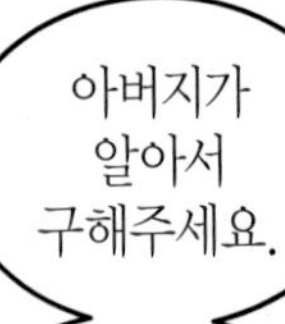

이 자식이!
돈 맡겨놨나?

안
주시나요?
그럼
저 알바해야 하는데,
본과 시작하면 알바를
할 시간이 있을지….

알았어,
준다 줘!
대신 다음 학기 전까지 반드시 편입 할게요.
빠르고 확실하게 편입하고 싶은데, 가능할까요?
…….

알아보마.

자, 뭐부터
처리해야 하지?
같이 살려면
필요한 게…

으아!

으…
엉덩이야….
깜빡했네.
아까 집으로 올 때 택시에도
겨우 앉아서 왔었지.
기유정,
이 미X놈….

미친….
진짜 끼운 채
잤잖아….
쑥
으~
휘청
으앗!

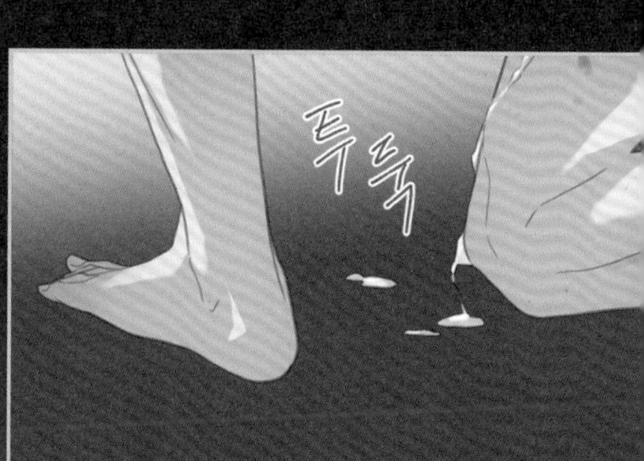

미친 건 나도 마찬가지지.

그 자리에서 바로
끝까지 갈 생각을 하다니….

으아!!
공원 화장실하고 그 호텔은 부끄러워서 다시는 못 갈 것 같아.

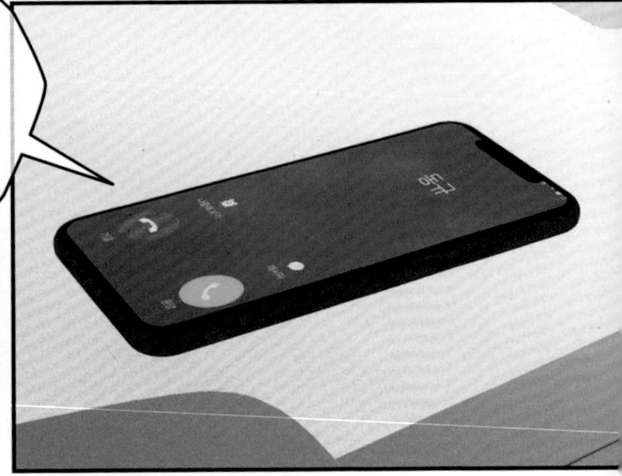

윙-

야, 어머니가 나한테 전화하셔서 너 찾으셨어.

어,
그랬어?
미안하다.
너 혹시….
응?
기유정 만나러 갔냐.

아니다.
끊어.

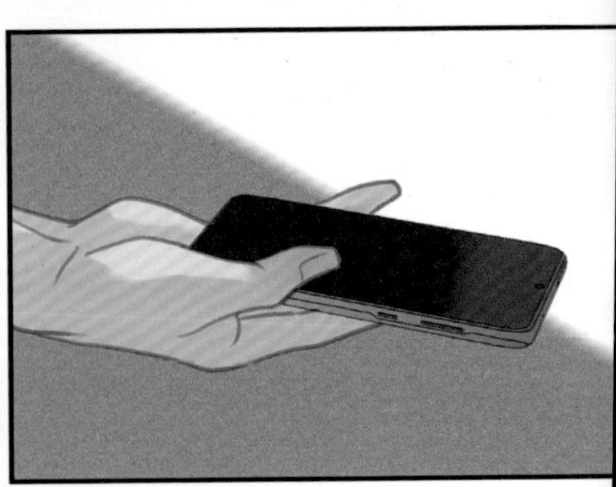

웅—

친구가 찾아왔던데.
친구 누구요?

기유정이라고,
네가 자기 물건을
가지고 있다던데?

…….

…….

동규야,
미안한데

선우는 바로 유정이 새X
만나러 갔겠지.

밤새 집에도 안 돌아온 거면,

너를 기다려

I'll be here for you.

너를 기다려

I'll be here for you.

이사짐
정리하는 거
도와준다니까?
같이 가서
필요한 거 살 때
내가 봐주는 게
낫잖아.

괜찮아요.
인부들 있는데
뭐 하러 고생
하시려고 그래요.
어차피
반찬 가져다주러
종종 들를 텐데,
겸사겸사 이번에
비번까지 알아두려고
그러지.
아, 제가 반찬
가지러 올게요.
엄마는
안 와도 돼요.

백선우 너,
수상해.

네??

너 왜 나
못 가게 하려고
애쓰지?
너 혹시
나가서
살려는 거,

여자
때문이야?
여자
생겼어?
네??
아니에요!

그럼
왜 그래?
아… 그게…
사실은 친구가
당분간 함께
지낼 예정인데,
그 친구가
낯을 많이 가려요.
엄마 오면
불편할 거예요.
친구??
친구 누구??
남자 맞아?
여자 아니고?
저번에
우리 집에
나 찾으러 왔던
그 친구예요.

…….

아… 그때
그 친구?
이름이
기, 뭐였더라….
잠깐,
너 울면서
부른 이름도 같은
이름 아니니?
너 그 나이에
친구하고
싸웠어?

하하,
어쩌다 보니
그렇게 됐어요.
지금은
잘 화해했어요.
으이그~
나이가 몇인데
친구하고 싸우고는
울고불고 그래?

아무튼,
아셨죠?
불쑥 찾아오시면
그 친구가
불편해하니까
찾아오시면
안 돼요.
알았다, 알았어.
나도 바빠.
대신 반찬 가지러
오라고 연락하면
제깍 와야 해.

탁 -

유정아!

Ian McHaus

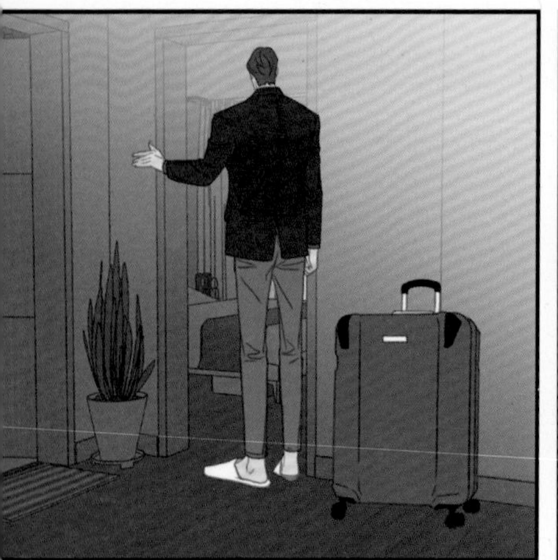

나하고 같이
살아줄 거지?

끄덕

다행이다.
네가 거절하면 어쩌나 걱정했어.
거절할 리가 없잖아.

그런데, 이 집은 무슨 돈으로 구했어? 네가 모은 돈으로?
그럴 리가 있나. 나 돈 모은 거 하나도 없어.
생활비하고 집세 내니까 벌어도 남는 것도 없더라.

그럼?
엄빠찬스지,
하하.
너하고
살고 싶어서
학교 근처에 집
얻어달라고 했어.
…….
혹시,
부담스러워?

부담스러워도
할 수 없어.
난 모른 척하고
억지로라도
같이 살 거야.

…알았어.
고마워.
나도 생활비
반 정도는 낼게.
생활비도 집에서
지원해주기로 했어.

…….
괜찮아.
아버지와 어머니
그 정도 능력은 되니까
받아도 돼.
나중에
전문의 돼서
갚으면 돼.

…….
…….

방금 내 말
재수 없었어?
껭!

아니.
다행이다.

억지로라도 같이 살 거라고 했지만
네가 거절하면 어쩌나 했어.

유정아…. 드디어 너하고 함께야.
너하고 함께 살게 될 줄은 정말 생각도 못 했어.

나는 이제 무슨 일이 있어도 너하고 헤어지지 않을 거야.

너무 설레서
잠이 안 올 것
같아….

뭐?
설레서
잠이 안 와?
피식

기유정,
아무 생각도
하지 마.

지금은 백선우만 생각해.

백선우와 함께라는 게
중요한 거야.

그래도,
아직은 낯선
동네니까….
혼자
오래 있으면
어색할 것
같아서.
백선우,
나 애 아냐.
웅-

너만 괜찮으면
그래도 저녁은 같이
먹고 싶은데,
9시 넘어서
저녁 먹어도
괜찮을까??
돌아다니며
동네도 좀 익히고,
임시직이라도
찾아봐야지.

내가 맛있는 거
해놓고 기다릴게.
요리도
할 줄
알아??

간단한
찌개 같은 것만.
찌개면
충분하지!
밑반찬은
엄마가 준 거
있으니까.

와!
너무 좋다.
신혼생활
하는 거 같아.
어이없네.
그럼 네가
신랑이고,
내가 신부냐?

어? 네가
내 신부인 건
좋긴 한데,
신부가
밥 차리라는
법 있냐?
완전
성차별 발언!

뭐래?

이사를 마치자마자
백선우는
6개월 안에
편입하기 위해
온라인, 오프라인 수업을
닥치는 대로 받으며
공부에 전념했다.

'너하고 한 공간에
있으면 집중이
안 될 것 같아.'
붕
-라면서 온라인 수업도
도서관에서 했다.

서로를 마주보다 보면

키스로 이어지기 일쑤였는데,

츕
그러다 흥분해서
츄츕
슥
서로의 성기를
비비고 사정하고,

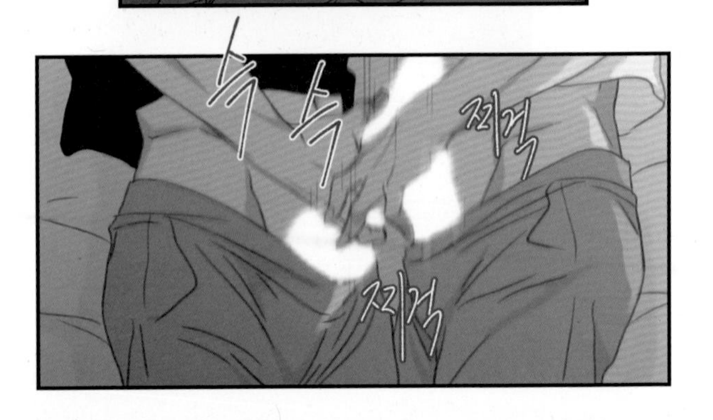
슥 슥
찌걱
찌걱

드디어 백선우와
한 공간에 있으면서도
거기서 멈춰야 하는 게
죽을 맛이었다.

그런 의미에서,
백선우가 밖으로 돌며
공부를 하는 게 차라리 다행이었다.

주말에는 가끔
짬을 내서 외식도 하고,
심야영화를
보기도 했다.
여기 앉아서
보겠다고?

뭐 어때.

풋!

…쳐다보잖아.
괜찮아.
어차피
두 번 다시 안 볼
사람들이야.

그러다
아는 사람이라도
만나면 어쩌려고
그래.
실수로
잘못 샀다고
하면 되지.

…….

백선우는 참…
뻔뻔하다고 할지,
당당히다고 할지….

그런 점이 부럽다.

그래서인지 선우와
함께 다니면
꼬옥
나도 덩달아
대담해지고
타인의 시선에도
편해지는 기분이 든다.

기왕
커플석인데
손잡고 보자.
소곤

콰
과
과
과
으아아아아아!

끼아아아아
아!
…선우야, 이거
공포영화야?
어, 재밌어
보이길래
예매했는데.
왜, 공포영화
별로야?
콰악

…….

MELON
SALE
50
큭큭큭

푸하하
너무 귀여워서
하마터면 도중에
끌고 나올 뻔
했잖아.
MELO

…자꾸 놀리면
다시는 영화 보러
안 온다?

미안 미안,
안 놀릴게.
큭큭

또, 동네 공원에서
둘이서 농구를
하기도 했다.
텅
텅
탓

마치 고교 때로
돌아간 것 같아
기분이 묘했다.

담엔
형도 불러서
같이 할까?
우리 둘이서만
하는 거보다 훨씬
재밌을 거야.

형??
혹시
가끔 가게 오던
그 사람?
응.

그…
아직도 그 형
만나곤 해?

응?
아니, 그럴 시간이 없었지.

그 형하고는 정말 단순히 농구만 하는 사이였어?
가끔 밥도 먹고 술도 마셨지?
동호회 회원 중에 나랑 형만 솔로고 다들 유부남들이었거든.
…….

갔다 올게.
점심 꼭
챙겨 먹고.
엄마냐?

신랑이라며.

어이없네.

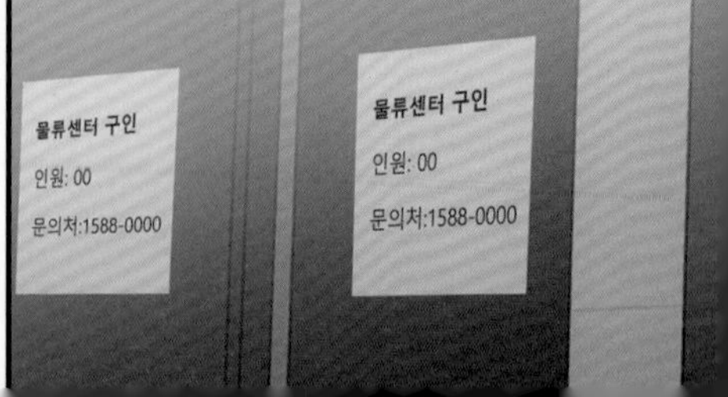
물류센터 구인
인원: 00
문의처:1588-0000
물류센터 구인
인원: 00
문의처:1588-0000

가끔 자다가 깨면 기유정 얼굴이 바로 눈앞에 보이는데,

너무 예뻐서 눈물이 날 뻔했어.

지랄하네.
Good
헤헤.

공부는 잘 돼 가?
손 놓은 지 좀 됐다고 머리에 잘 안 들어와.
특히 영어.
아버지 빽으로 빨리 못 들어가?
이번 학사 편입 자체가 아버지 빽일걸?
후루룩
우리 학교 의대, 공식적으로는 학사 편입이 없어.
일반 편입만 있고.

'기유정과 함께 할 수 있다면'

—이 빠졌겠지.

어서 와.
금방
저녁 차릴게.
오늘
어땠어?
혼자
있을 만해?
아참, 나
임시직 구했어.
어디?
좀 나가면
대형 마트 있잖아.
거기 물류 창고.

…물류 창고는
위험하지 않아?
다칠 수도
있잖아.
너 정도 얼굴이면
카페 같은 곳에서
높은 시급 주고 모시고
가려고 할 텐데
좀 편한 곳으로
알아보지, 왜?

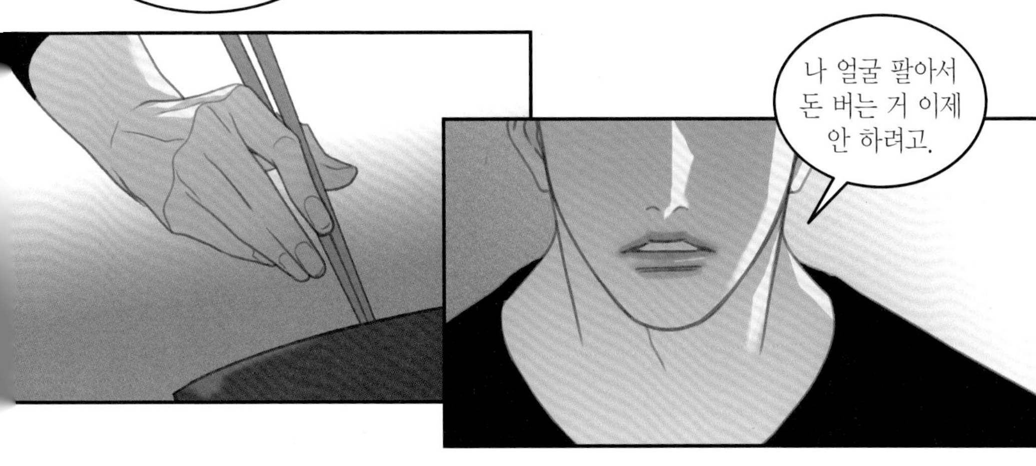
나 얼굴 팔아서
돈 버는 거 이제
안 하려고.

〈너를 기다려〉 2권 마침

너를 기다려 2

2023년 11월 15일 1판 1쇄 인쇄
2023년 11월 30일 1판 1쇄 발행

글·그림 이현숙

발행인 황민호
콘텐츠2사업본부장 최재경
책임편집 송경미
표지 디자인 김영주
본문 디자인 중앙아트그라픽스
발행처 대원씨아이㈜

서울특별시 용산구 한강대로 15길 9-12
Tel. (02) 2071-2000
FAX. (02) 6352-0115
1992년 5월 11일 등록 제3-563호

잘못 만들어진 책은 구입하신 곳에서 교환해 드립니다.
문의 : 영업 02) 2071-2072 / **편집** 02) 2071-2044

ISBN 979-11-7124-574-1 07810
ISBN 979-11-7124-572-7 (세트)